A POÉTICA CLÁSSICA

CIP-Brasil. Catalogação na Publicação
Sindicato Nacional dos Editores de Livros, RJ

A75p

Aristóteles
A poética clássica / Aristóteles, Horácio, Longino; Introdução Roberto de Oliveira Brandão; Tradução Jaime Bruna. – [1. ed. 17. reimpressão] – São Paulo: Cultrix, 2014.

ISBN 978-85-316-0307-5

1. Poética 2. Literatura. I. Horácio, II. Longino. III. Título

13-06714 CDD-808.1
CDU: 82.09

ARISTÓTELES, HORÁCIO, LONGINO

A POÉTICA CLÁSSICA

Introdução

ROBERTO DE OLIVEIRA BRANDÃO

(Professor-assistente doutor de Literatura Brasileira
da Faculdade de Filosofia, Letras e Ciências
Humanas da Universidade de São Paulo)

Tradução direta do grego e do latim

JAIME BRUNA

(Professor-assistente doutor de Latim da Faculdade
de Filosofia, Letras e Ciências Humanas
da Universidade de São Paulo)

Editora
Cultrix
SÃO PAULO

1ª edição 1981.

21ª reimpressão 2024.

Direitos reservados
EDITORA PENSAMENTO-CULTRIX LTDA.
Rua Dr. Mário Vicente, 368 – 04270-000 – São Paulo, SP
Fone: (11) 2066-9000
E-mail: atendimento@editoracultrix.com.br
http://www.editoracultrix.com.br
Foi feito o depósito legal.

SUMÁRIO

TRÊS MOMENTOS DA POÉTICA ANTIGA[1]

1. *A* POÉTICA *DE ARISTÓTELES: DA REFLEXÃO À LEI*

1.1. Como reflexão sobre os problemas da arte em geral e em especial sobre a literatura, a Poética *aristotélica ocupa hoje um lugar relevante. A trajetória de sua importância começa efetivamente no século XVI, pois mal conhecida durante a Idade Média, através de compilações siríacas e árabes, só em 1498 sai a público a primeira edição latina feita sobre o original grego cuja impressão aparece apenas em 1503. A partir desse momento sua influência e seu poder estimulante serão cada vez maiores.*

Nas inúmeras leituras — traduções, comentários, estudos — que até os nossos dias já se fizeram de seu texto ou por sua inspiração, os conceitos ali emitidos ora são vistos globalmente como problemas a serem resolvidos e esclarecidos, daí o permanente trabalho exegético a que tem sido submetido, com que se procura chegar ao sentido "exato" de suas palavras, ora tais conceitos são encarados isoladamente e aprofundados como formulações definidoras do específico literário enquanto postura teórica preocupada em explicar o funcionamento da literatura, independente do contexto aristotélico original, ora são considerados, no extremo oposto, como soluções práticas que devem orientar tanto a criação quanto a crítica de obras concretas.

Estas três tendências na verdade não são estanques, mas interpenetram-se freqüentemente. Aquilo que em Aristóteles correspondia certamente a um trabalho de reflexão a partir de uma realidade histórico-artístico-cultural pode dar lugar, e isso de fato aconteceu, ou a um critério estratificado que se aplicava às formas artísticas, ou, no melhor caso, a um estímulo para reproduzir os atos de observação e de reflexão capazes de encontrar no novo a dinâmica interna que permanece.

---

1. Ver do Autor *A Tradição Sempre Nova*. São Paulo, Ática, 1976.

1.2. Apesar disso, podemos dizer que a primeira tendência tem sua forma exemplar nos comentários realizados pelos humanistas italianos do Renascimento. Foram eles que praticamente estabeleceram a doutrina aristotélica da literatura que se difundiu nos países ocidentais, traduzindo, comentando, interpretando, e, em muitos casos, recriando a *Poética*. De 1527, data em que Girolamo Vida publicou sua *De arte poetica*, até 1570, quando sai uma das mais importantes obras do renascimento italiano, a *Poetica d'Aristotile vulgarizzata e sposta* de Castelvetro, a visão renascentista da teoria aristotélica da literatura já apresenta seus contornos definitivos. Foram seus artífices, entre outros, Vida (1527), Robortello (1548), Segni (1549), Maggi (1550), Vettori (1560), Giraldi Cinthio (1554), Minturno (1559), Scaliger (1561), Trissino (1563), Castelvetro (1570). O papel deste último foi decisivo no sentido de "recriar" a *Poética* aristotélica. René Bray diz que ele "não se contenta em explicar seu texto, como haviam feito os Vettori e Robortello, ele deduz, acrescenta, modifica mesmo, e constrói assim sobre as bases fragmentárias da *Poética* toda uma poética pessoal".[2]

Independentemente do maior ou menor significado de cada um daqueles estudiosos renascentistas, o que importa notar é a homogeneidade de suas preocupações: conhecer, explicar, difundir as formulações aristotélicas. Nem destoam desse quadro as divergências, como a de Giraldi Cinthio que nos *Discorsi* (1554), procura legitimar uma forma poética para a quai Aristóteles não havia legislado, o *romanzo*, espécie heróica criada por Ariosto e Boiardo. Na mesma linha, Minturno em 1563 escreve uma *Arte poetica* em que coloca o *romanzo* ao lado da epopéia, além de buscar os exemplos não mais nas literaturas grega e latina, mas na italiana de seu tempo. Fatos como esses, aliás, mostram que os teóricos renascentistas nem sempre obedeciam cegamente ao pensamento dos Antigos, mas, pelo contrário, estavam atentos ao que se passava na produção viva de sua época.

1.3. A segunda tendência por mim referida, a de encarar isoladamente certos conceitos aristotélicos como fonte estimulante para novas observações e novas reflexões sobre o fenômeno artístico, pode ser localizada em nossos dias. Tomemos o conceito de *verossimilhança*, que pertencia tanto ao arsenal poético quanto ao retórico. A maneira como o enunciou Aristóteles na *Poética*, por sua concisão e contundência, teve certamente papel decisivo na longa e rica trajetó-

---

2. *Formation de la doctrine classique*. Paris, Nizet, 1963, p. 39.

ria desse conceito. No capítulo IX, quando o filósofo discute a distinção entre história e poesia, o problema central é exemplarmente colocado:

> "É claro, também, pelo que atrás ficou dito, que a obra do poeta não consiste em contar o que aconteceu, mas sim coisas quais podiam acontecer, possíveis no ponto de vista da verossimilhança ou da necessidade.
>
> Não é em metrificar ou não que diferem o historiador e o poeta; a obra de Heródoto podia ser metrificada; não seria menos uma história com o metro do que sem ele; a diferença está em que um narra acontecimentos e o outro, fatos quais podiam acontecer. Por isso, a Poesia encerra mais filosofia e elevação do que a História; aquela enuncia verdades gerais; esta relata fatos particulares." (*Poét.*, IX)

Observa-se que, embora importante, a verossimilhança *é apenas um dos componentes da poesia, importante porque, ao situá-la na esfera do possível, aproxima-a da filosofia (o que não admitia Platão) sem afastá-la da experiência comum de todo ser humano (no capítulo IV da* Poética *ele dirá que o "imitar é natural ao homem").*

Em outro lugar, ao tratar dos problemas críticos, ele relaciona o ato experimental que deve orientar a criação da obra com a atitude do receptor:

> "Quando plausível, o impossível se deve preferir a um possível que não convença" (*Ibid.*, XXIV).

Formulações sugestivas como essas, que colocam não apenas o problema da relação da literatura com a realidade, mas também o problema da convencionalidade do real artístico, isto é, que sugerem um compromisso entre o processo de representação como fator construtivo e a natureza da realidade representada como efeito de sentido, não é de admirar que tenham sido objeto de longas e acaloradas discussões durante o Renascimento italiano e o Neoclassicismo francês. Mas se nesses momentos históricos o problema da verossimilhança *foi sempre abordado dentro do contexto da poética como um todo, nos nossos dias o conceito é retomado isoladamente como problema autônomo que tanto se aplica ao discurso literário como ao cinema, à publicidade, à psicanálise, etc. Tal é o sentido dos estudos realizados pela revista* Communication 11 *onde vários autores estudam o conceito de* verossimilhança *dentro do campo de suas especialidades e interesses.*[3]

1.4. Finalmente, a tendência para ver na Poética *(e na* Retórica*) um preceituário de soluções práticas que deviam orientar a criação e a avaliação das obras concretas foi representada pelos manuais de Retórica e Poética publicados durante o século XIX.*

Tributários não apenas de Aristóteles, mas também de outros teóricos antigos, Horácio, Cícero, Longino, Quintiliano, esses manuais sintetizam um momento do longo e lento processo de enrijecimento das primitivas reflexões sobre a literatura. A crença na possibilidade de disciplinar a força criativa interior, isto é, o talento *ou o* engenho, *através da habilidade técnica fornecida pela* arte *(conceito latino que traduz a palavra grega* techne*) estava na origem dos manuais e representava, em princípio, um esforço da razão por encontrar explicações para a natureza e o funcionamento da obra literária. Do ato de reflexão, que cria um conhecimento, à transmissão deste em forma de preceito ou de regra foi um passo que a escola se encarregou de dar. Integrados no processo escolar, aqueles manuais passaram por um trabalho de simplificação e de diluição dos antigos conceitos, transformando-os em leis rígidas e permanentes.*[4]

Paul Valéry descreve a passagem do ato de reflexão inicial, calcado na observação dos procedimentos artísticos, para o estabelecimento da lei e da regra que devem ser obedecidas cegamente:

> "Mas, pouco a pouco, e em nome da autoridade de grandes homens, a idéia de uma espécie de legalidade foi introduzida e substituiu as recomendações iniciais de origem empírica. Raciocinou-se e o rigor da regra se fez. Ela exprimiu-se em fórmulas precisas; a crítica armou-se; e então seguiu-se esta conseqüência paradoxal: uma disciplina das artes, que opunha aos impulsos do poeta dificuldades racionais, conheceu um grande e durável prestígio devido à extrema facilidade que ela dava para julgar e classificar as obras, a partir da simples referência a um código ou a um cânon bem definido."

Tal fenômeno pode ser constatado nos numerosos manuais utilizados nas escolas brasileiras do século passado, onde a observação

---

3. *Communication 11 Recherches Sémiologiques — Le Vraisemblable.* Paris, Seuil, 1968.

4. Valéry, Paul. "Première Leçon du Cours de Poétique". In *Oeuvres I,* Paris, Gallimard, 1957, págs. 1341-1342.

criadora dos Antigos se encontra petrificada na ideologia paralisante dos valores eternos, como se observa nestas palavras de um manual usado no Colégio Pedro II do Rio de Janeiro:

> "Os antigos e primeiros ordenadores das regras e preceitos tiveram a intuição da verdade; estudaram muito acuradamente as leis eternas e imutáveis da inteligência humana e por isso irá sempre muito seguro aquele que lhes for ao encalço." [5]

Mas é necessário lembrar, mais uma vez, que esse estágio não surgiu já acabado. Nem sempre os nossos autores iam diretamente às fontes antigas. Entre estas e aqueles se interpuseram outros autores que, a seu modo, já vinham realizando o mesmo processo de diluição, principalmente durante o século XVIII, entre eles: Lamy, [6] *Gibert,* [7] *Blair* [8] *e, já no século XIX, os portugueses Freire de Carvalho* [9] *e Borges de Figueiredo,* [10] *para citar apenas dois.*

Para nós, hoje, essas diferentes tendências de leitura e interpretação da Poética *aristotélica, bem como de outras obras antigas, assumem um significado didático muito importante, pois mostram que, se por um lado, aquele texto goza de um grande poder sugestivo, por outro, revela que cada época vê e compreende o passado de acordo com suas próprias maneiras de pensar, e o significado histórico do texto resulta, em última instância, da interação das diversas formas de leitura ocorridas. É, pois, nesse quadro que se insere a necessidade, sempre renovada, de voltarmos, diretamente, ao texto da* Poética *para que a constelação de soluções já cristalizadas não impeça o exercício*

---

5. Silva, Dr. José Maria Velho da. *Lições de Retórica.* Rio, Serafim José Alves, editor, s/d. (1882).

6. Lamy, Bernard. *La Rhétorique ou l'Art de parler.* 6è. éd., La Haye, 1737 (1.ª ed. 1699).

7. Gibert, Pe. Balthasar. *Retórica ou Regras da eloqüência.* Traduzida do francês. Porto, na oficina de Antônio Alvarez Ribeiro, 1789. 2 v.

8. Blair, Hughes. *Cours de Rhétorique et de Belles Lettres.* Genève, 1808 (1.ª ed. inglesa em 1782).

9. Carvalho, Francisco Freire de. *Lições elementares de Eloqüência Nacional.* 6.ª ed., Lisboa, Tip. Rolandiana, 1861 (1.ª ed. 1834).

———, *Lições elementares de poética nacional.* 3.ª ed. Lisboa, Tip. Rolandiana, 1860 (1.ª ed. 1840).

10. Figueiredo, A. Cardoso Borges de. *Instituições Elementares de Retórica.* 12.ª ed. Coimbra, Livraria Central de J. Diogo Pires, 1883 (1.ª ed. 1851 em latim).

da reflexão pessoal, o que constitui, certamente, a maior lição deixada pelo estagirita.

2. A ARTE POÉTICA *DE HORÁCIO: O TRABALHO E A DISCIPLINA COMO FATORES CRIATIVOS*

2.1. *A* Epistola ad Pisones, *mais conhecida pela designação de* Ars Poetica *como lhe chamou Quintiliano (Inst. Or., VIII, 3), expressa o pensamento literário maduro de Horácio e historicamente exerceu importante papel na constituição daquilo que se costuma entender pela expressão "teoria clássica da literatura". Ela foi escrita nos últimos anos da vida do poeta, provavelmente entre 14-13 a.C.*

Antes da Arte Poética, *Horácio havia composto seis poemas onde tratava de problemas literários, três sátiras (I, 4; I, 10; II, 1) e três epístolas (I, 19; II, 1; II, 2). Algumas das posições aí assumidas serão depois retomadas e aprofundadas na* Arte Poética, *mas é de se notar que revelam já certas direções básicas de seu pensamento: a procura de perfeição, a busca do equilíbrio expressivo, a valorização da poesia contemporânea, a limitação da audiência como critério do gosto, etc. De um modo geral tais aspectos inserem-se no sentido pragmático que foi sendo forjado pelo pensamento romano e se cristalizarão nas frases e expressões de certa maneira emblemáticas contidas na* Arte Poética. *Muito da rigidez que marcará os manuais de Poética de extração clássica posteriores está certamente prefigurada nas formas lapidares com que a* Arte Poética *coloca os problemas literários.*

Mas é necessário observar que naquelas obras não atingira ainda Horácio a precisão e a síntese que o caracterizariam na Arte Poética. *Pelo contrário, nota-se lá uma procura permanente da expressão exata, procura que se traduz na reiteração de certos temas e no tom polêmico com que os aborda, como se o crítico não tivesse encontrado ainda sua formulação ideal. Aliás, essa atitude mostra um aspecto particular do pensamento horaciano: a busca de perfeição pelo trabalho constante combina-se com a recusa às formas já cristalizadas. Nesse sentido seu classicismo, ao acentuar o fator* trabalho, *opõe-se a certas tendências posteriores de ver no classicismo não a busca de perfeição, mas a reprodução das formas de perfeição já atingidas.*

Observa-se, portanto, nessas primeiras obras, um Horácio antidogmático, recusando os valores preestabelecidos [11] *e preocupado em*

11. *Epístolas* II, 79-85.

centrar o mérito da obra em qualidades que lhe parecem inerentes, a economia, que impõe eliminar o supérfluo que cansa o ouvido, [12] *o equilíbrio, que leva a condenar tudo aquilo que vai além da justa expressão do pensamento,* [13] *e a harmonia, que não admite transigir com a unidade do poema.* [14]

2.2. Tais preocupações antecipam um dos pontos centrais do classicismo horaciano desenvolvido na Arte Poética: *a obra é regida por leis que podem ser apreendidas e formuladas. O que certamente não suspeitava Horácio é que a racionalidade antevista na organização da obra como qualidade objetiva estava em verdade comprometida com o projeto da arte representativa e com os valores de sua época. É sintomática a rejeição com que o crítico inicia a* Arte Poética, *relativamente a um suposto quadro sem unidade, que ele julga absurdo:*

> "Suponhamos que um pintor entendesse de ligar a uma cabeça humana um pescoço de cavalo, ajuntar membros de toda procedência e cobri-los de penas variegadas, de sorte que a figura, de mulher formosa em cima, acabasse num hediondo peixe preto; entrados para ver o quadro, meus amigos, vocês conteriam o riso? Creiam-me, Pisões, bem parecido com um quadro assim seria um livro onde se fantasiassem formas sem consistência, quais sonhos de enfermo, de maneira que o pé e a cabeça não se combinassem num ser uno." (*Arte Poética*, 1-9)

Embora recuse aceitar esse quadro "fantástico", Horácio tem consciência de que há sempre uma lógica interna que comanda a composição da obra, e que a unidade nasce da ordem dos componentes, o que implica, em última instância, na seleção dos aspectos a serem reunidos em função do efeito totalizante final, como ele mostra em outro lugar:

> "A força e a graça da ordenação, se não me engano, está em dizer logo o autor do poema anunciado o que se deve dizer logo, diferir muita coisa, silenciada por ora, dar preferência a isto, menosprezo àquilo." (*Ibid.* 42-45; ver também 151-152).

Essa percepção do caráter construtivo da obra de arte estava bem viva entre os artistas e os pensadores antigos e constitui um dos fatores de sua permanente atualidade. Mas, se neles as estruturas assumi-

---

12. *Sátiras* I, 10, 9-10.
13. *Ibid.*, I, 10, 67-70.
14. *Epístolas* II, 1, 73-75.

ram seu modo particular de ver e sentir o mundo, isso decorreu do compromisso histórico entre forma e conteúdo, fato que não perceberam os repetidores e diluidores da poética clássica, que tomaram o acidental (as soluções dadas) pelo essencial (a busca de soluções adequadas a novas necessidades).

2.3. Se a ordem *e a* unidade *constituem os fatores estruturantes relativos à obra acabada, a* razão, *o* trabalho *e a* disciplina *são os meios com que o poeta realiza seu objetivo. Embora para Horácio o princípio da mediania, a* aurea mediocritas,[15] *seja o ideal como projeto de vida e possa ser aceitável como qualificação profissional, ao poeta tal atributo é absolutamente inadmissível, como ele declara:*

> "Recolha na memória isto que lhe digo: é de justiça, em determinadas matérias, consentir com o mediano e o tolerável; o jurisconsulto e o causídico medíocres estão longe do talento do eloqüente Messala e não sabem tanto quanto Aulo Cassélio; têm, não obstante, o seu valor. Aos poetas, nem os homens, nem os deuses, nem as colunas das livrarias perdoam a mediocridade." (*Arte Poética*, 367-373)

E o poeta só atingirá a perfeição se tiver pleno domínio do material criativo, o que não será possível senão através da razão, do trabalho e da disciplina, instâncias diferentes de uma mesma atividade de busca de perfeição artística. Essas três instâncias estão implícitas no conceito de arte. *Nesse sentido, a razão representa o círculo mais amplo enquanto consciência das necessidades face aos meios à disposição do poeta ou a serem criados. É ela que o aconselha a medir as próprias forças:*

> "Vocês, que escrevem, tomem um tema adequado a suas forças; ponderem longamente o que seus ombros se recusem a carregar, o que agüentem. A quem domina o assunto escolhido não faltará eloqüência, nem lúcida ordenação." (*Ibid.*, 38-41)

Na realidade, o artista clássico é inimigo da improvisação. A obra obtida está sempre condicionada ao trabalho posto em ação, desde o plano esboçado no pensamento até a execução concreta final. Mas Horácio toma cuidado em mostrar que o papel da "arte" é inseparável da "natureza", como fonte autônoma da inspiração, mas que, no seu estado bruto, é informe, caótica. Arte *e* engenho *se completam como instâncias específicas, mas mutuamente compromissadas:*

---

15. *Odes*, II, 10, 5-8. Ver também *Epístolas*, I, 18, 9.

> "Já se perguntou se o que faz digno de louvor um poema é a natureza ou a arte. Eu por mim não vejo o que adianta, sem uma veia rica, o esforço, nem, sem cultivo, o gênio; assim, um pede ajuda ao outro, numa conspiração amistosa. Muito suporta e faz desde a infância, suando, sofrendo o frio, abstendo-se do amor e do vinho, quem almeja alcançar na pista a desejada meta; o flautista que toca no concurso pítico estudou antes e temeu o mestre." (*Ibid.*, 408-415)

Observa-se que para Horácio o trabalho do poeta não se restringe ao momento singular da criação, mas representa o acúmulo da experiência criativa, entendida esta como disciplina interior e como domínio dos atos criativos. E essa atividade vai além, não termina com a obra acabada, pois compreende ainda a necessidade de refazer o que já foi feito, toda vez que a consciência artística julgar conveniente:

> "se você compuser versos, nunca o enganarão os sentimentos ocultos sob a pele da raposa. Quando se recitava alguma coisa a Quintílio, ele dizia: "Por favor, corrige isto e também isto"; quando você, após duas ou três tentativas frustradas, se dizia incapaz de fazer melhor, ele mandava desfazer os versos mal torneados e repô-los na bigorna. Se, a modificar a falha, você preferia defendê-la, não dizia mais uma única palavra, nem se dava ao trabalho inútil de evitar que você amasse, sem rivais, a si mesmo e à sua obra." (*Ibid.*, 436-444).

Esta última objeção — o fato de o poeta ficar restrito à sua própria subjetividade por não aceitar críticas — mostra um dos aspectos mais importantes da concepção horaciana sobre a poesia: a atitude crítica está implícita no ato criativo. Por outro lado, esta autoconsciência da poesia como capacidade de refletir sobre si mesma representa uma resposta dada pelo Classicismo diante da tríplice condenação platônica: à inconsciência do poeta, ao ilusionismo da poesia e ao poder encantatório da medida, do ritmo e da harmonia enquanto componentes do poema.

2.4. Vê-se, pois, que a atitude do poeta prefigura o papel da audiência como fator implícito no poema. O destinatário de certa maneira passa a funcionar como co-produtor da obra no sentido em que sua expectativa determina as exigências estruturais que o poeta deve atender se quiser obter a aprovação do público:

> "Ouça você o que desejo eu e comigo o povo, se quer que a platéia aplauda e espere, sentada, a descida do pano, até o ator pedir "aplaudi"." (*Ibid.*, 153-155).

O fator de adesão nasce, portanto, do relacionamento que o público estabelece entre a lógica interna da obra e o que ocorre na sua experiência cotidiana onde ele aprendeu a ver um compromisso relativamente estável entre as formas do ser *e do* parecer *como processo de significação do mundo natural. O riso ou o choro, como manifestações do* parecer, *por exemplo, revelam a alegria ou a tristeza, que constituem espécies de* ser. *Este caso de* conveniência (decorum) *diz respeito à relação ator-espectador:*

> "O rosto da gente, como ri com quem ri, assim se condói de quem chora; se me queres ver chorar, tens de sentir a dor primeiro tu; só então, meu Télefo, ou Peleu, me afligirão os teus infortúnios; se declamares mal o teu papel, ou dormirei, ou desandarei a rir." (*Ibid.*, 101-105)

Mas há outras modalidades de conveniências igualmente necessárias: entre as palavras de uma personagem e sua postura facial ou sua situação, entre seu caráter e sua idade ou seu comportamento, entre o estilo da obra e seu gênero, entre a natureza de certas ações e seu modo de apresentação: representadas diretamente no palco ou relatadas por uma testemunha. A representação através de personagens em ação cria o efeito de "presentificação", pois o caráter "visual" dos fatos confere maior verossimilhança porque os situa mais próximos da realidade, exigindo assim do espectador uma participação mais efetiva; em resumo, a vista compromete mais com o presente do que o ouvido:

> "Quando recebidas pelos ouvidos, causam emoção mais fraca do que quando, apresentadas à fidelidade dos olhos, o espectador mesmo as testemunha." (*Ibid.*, 180-181)

A função persuasiva, contida na encenação, só deve ser substituída pela narração quando algum imperativo maior o determinar, como a economia da obra, a suscetibilidade do espectador e, principalmente, a inverossimilhança que acontecimentos estranhos ou chocantes provocam:

> "Não vá Medéia trucidar os filhos à vista do público; nem o abominável Atreu cozer vísceras humanas, nem se transmudará Procne em ave ou Cadmo em serpente diante de todos. Descreio e abomino tudo que for mostrado assim." (*Ibid.*, 343-344)

Mas se é fato que a audiência condiciona o modo de composição da obra, não o é apenas por exigência da necessidade retórica de adesão. Esta, em última instância, não passa de meio para se atingirem fins mais importantes, que Platão, embora negasse à arte, entendia como a utilidade moral inscrita no conhecimento da verdade, Aristóteles descrevia como uma forma de prazer específico, o autor do Tratado do Sublime *apontaria como a manifestação da elevação da alma humana, e Horácio, na* Arte Poética, *resume na fórmula visceralmente romana do* utile dulci. *(*Ibid., *343-344)*

3. *O TRATADO DO SUBLIME: ENTRE O CAOS E A ORDEM*

3.1. Tanto a autoria do Tratado do Sublime *quanto a época em que teria sido composto foram durante muito tempo objeto de conjeturas e controvérsias. Hoje apenas a data da composição parece definitivamente assentada: a primeira metade do século I da era cristã.* [16]

Conforme se pode verificar na leitura do texto, a obra foi escrita em resposta a um tratado anterior de Cecílio (de Calácte) que o Anônimo julgava insuficientemente desenvolvido e erroneamente orientado, pois, segundo suas palavras, "não tocava nos pontos essenciais". Cecílio, segundo os estudiosos, era um dos mais influentes retores gregos do tempo de Augusto e fazia parte de uma tendência que se caracterizava pela defesa intransigente do aticismo, isto é, colocava a correção gramatical e a pureza da linguagem como qualidades supremas do discurso. Aticistas eram também Dionísio de Halicarnasso, amigo de Cecílio, e Apolodoro de Pérgamo, preceptor de Augusto e a cujo nome costuma ser ligada essa tendência de volta às formas tradicionais da língua grega.

*Tendência oposta representava Teodoro de Gádara para quem a genialidade, o entusiasmo e a paixão, mesmo com pequenos defeitos, superavam a pura correção e a mediocridade. Idéia semelhante expressa Horácio quando reconhece que até Homero às vezes dormita (*A.P., *v. 359).*

3.2. O Anônimo esposa as teorias de Teodoro, e o verificamos em vários momentos de sua obra. Por exemplo, quando refere-se à

---

16. Sobre o problema ver a introdução que, para a edição bilíngüe, escreveu Henri Lebègue: *Du Sublime*. Paris, Societé d'Éditions "Les Belles Lettres", 1952; e PLEBE, Armando. *Breve História da Retórica Antiga*. Tradução e Notas de Gilda Maciel de Barros, São Paulo, Ed. Pedagógica — Ed. da USP., 1978.

opinião de Cecílio, para quem Lísias, orador ateniense cujo discurso se caracterizava pela clareza e elegância, era superior a Platão que, com sua linguagem, cheia de figuras ousadas, freqüentemente se encontrava como que sob a ação de "um transporte báquico" que produzia nele "alegorias bombásticas" (c. XXXII, 7). Esta posição é atacada pelo Anônimo que, ironicamente, acusa Cecílio de se deixar guiar por "dois sentimentos prejudiciais à crítica"; "... amando Lísias mais que a si mesmo, ainda assim vota mais ódio a Platão do que amor a Lísias" (c. XXXII, 8).

No capítulo seguinte o Anônimo formula esse problema fazendo uma pergunta:

> "Sus, tomemos um escritor deveras límpido e irrepreensível. Não vale a pena submeter a um exame geral exatamente este ponto: se, em poesia e prosa, devemos preferir uma grandeza com alguns defeitos, ou uma mediocridade correta, em tudo sã e impecável?" (c. XXXIII, 1)

Em seguida ele faz outra pergunta, retomando e reformulando a anterior, mas deixando sugerida a resposta de que o valor do estilo é um problema qualitativo e não quantitativo:

> "E também, por Zeus! se a preeminência na literatura cabe, por justiça, às virtudes mais numerosas, ou às maiores." (c. XXXIII, 1)

E, como se não bastassem essas opiniões indiretamente formuladas, o Anônimo assume o lugar de sujeito de suas afirmações, mostrando que ele não critica a correção por amor ao erro, mas porque, ao se preocupar demasiadamente em não errar, o escritor desviará sua atenção daquilo que realmente deve ser sua preocupação, a expressão da grandeza e do sublime:

> "Eu cá, no entanto, sei que as naturezas demasiado grandes são as menos estremes; a precisão em tudo acarreta o risco da mediania e nos grandes gênios, assim como na excessiva riqueza, alguma coisa se há de negligenciar". (c. XXXIII, 2)

3.3. Mas ele sabe muito bem que a liberdade absoluta em relação à energia que dá origem ao sublime negaria a própria finalidade de sua obra, que é encontrar os meios capazes de criar a elevação do estilo. Aliás, a falta dessa orientação metodológica é um dos pontos importantes dos motivos de crítica ao tratado de Cecílio:

"(...) mas de que maneira poderíamos encaminhar nossa própria natureza a determinada elevação, isso, não sei por que, ele negligenciou, como desnecessário." (c. I, 1)

De fato, como livro didático que era, e integrado no espírito pragmático implícito na techné *retórica e poética antiga, o Anônimo está sobretudo preocupado em verificar se o* sublime *enquanto fenômeno pode ser sistematizado no nível da razão e, conseqüentemente, se os procedimentos capazes de reproduzi-lo podem ser ensinados. Desse modo, ele dedica toda a parte que nos restou do segundo capítulo a discutir se existe uma* arte do sublime. *Lembra que havia pessoas que afirmavam ser o* sublime *um dom inato e que não poderia ser objeto de estudo sistematizado. Mas ele não partilha, evidentemente, dessa opinião. Pelo contrário, sustenta que o* sublime *tem em si suas próprias leis. Se a natureza é sua fonte, cabe ao método mostrar os limites adequados:*

"(...) ela constitui a causa primeira e princípio modelar de toda produção; quanto, porém, a dimensões e oportunidade de cada obra e, bem assim, quanto à mais segura prática e uso, compete ao método estabelecer âmbito e conveniência". (c. II, 2)

3.4. Antes de dar início ao estudo das fontes do sublime, julga conveniente o Anônimo levantar duas preliminares. A primeira diz respeito a certos procedimentos — o estilo afetado, o estilo frio, o patético inoportuno — que embora não sejam defeitos propriamente ditos, nada mais são do que qualidades frustradas ou por irem além ou por ficarem aquém do sublime, fato que revela a precariedade de seus limites:

"É que as nossas virtudes e os nossos vícios de certo modo costumam ter a mesma origem. Por isso, se os embelezamentos do estilo, os termos elevados e, somados a esses recursos, os do deleitamento concorrem para o bom resultado literário, esses mesmos requintes vêm a ser fonte e fundamento tanto do êxito quanto do malogro". (c. V)

3.5. Se essa condição preliminar alerta para um risco inerente ao estrato lingüístico que apreende o momento sublime, a segunda, para a qual chama a atenção o Anônimo, diz respeito ao amparo ideológico, isto é, à concepção que se deve ter da natureza do sublime. Este é um trabalho difícil, reconhece ele, porque "o julgamento do estilo é o resultado final de uma longa experiência" (c. VI).

Quanto a este aspecto ideológico, o Anônimo indica duas soluções, uma, pouco desenvolvida no texto, que apresenta o sublime como uma espécie de grandeza de alma aue leva o homem a desprezar os bens materiais. E ele alinha os seguintes: "riqueza, honrarias, fama, realeza, tudo mais que apresenta uma exterioridade teatral" (c. VII, 1).

Mas é necessário observar que o desprendimento não pode aplicar-se a quem nada possua nem a quem possua bens, mas não possa dispor deles. O desprendimento de alma que caracteriza o sublime é o de quem, podendo possuir bens, os despreza:

> "(...) mais admiração do que os possuidores deles desperta quem, podendo possuí-los, por grandeza de alma os menoscaba." (c. VII, 1)

3.6. A essa concepção elitista do sublime como matéria da representação corresponde outra equivalente aplicada ao receptor da mensagem. O modelo do ouvinte ideal é caracterizado por certas qualificações recorrentes: "sensato", com "grandeza de alma" (c. VII, 1), "um homem sensato" (c. VII, 3), e por uma resposta específica que representa uma projeção do sublime criado na obra:

> "É da natureza de nossa alma deixar-se de certo modo empolgar pelo verdadeiro sublime, ascender a uma altura soberba, encher-se de alegria e exaltação, como se ela mesma tivesse criado o que ouviu." (c. VII, 3)

Desse modo, o Anônimo chega a uma fórmula de avaliação da obra aparentemente paradoxal. Se há pouco ele considera como produtor do sublime apenas aquele que "podendo possuí-los [tais bens], por grandeza de alma, os menoscaba", agora ele alarga ao infinito o círculo dos ouvintes potencialmente capazes de apreciar o sublime:

> "Em resumo, considera belas e verdadeiramente sublimes as passagens que agradam sempre e a todos. Quando, pois, mau grado da diversidade das ocupações, do teor de vida, dos gostos, da idade, do idioma, todos ao mesmo tempo pensam unânimes o mesmo a respeito duma mesma coisa, então essa, digamos assim, sentença concorde de juízes discordes outorga ao objeto da admiração uma garantia sólida e incontestável." (c. VII, 4)

Essa postura, entretanto, deve ser compreendida dentro da situação da poética clássica onde o caráter universalizante da razão determina a natureza da apreciação individual. As expressões "sempre" e "a todos" são termos englobantes inerentes ao conceito de razão. Mas é preciso não esquecer que a poética clássica, pressionada pela crítica platônica, procurou desenvolver um processo capaz de racionalizar a natureza como meio de conseguir sua legitimidade artística. Além disso ela tem um caráter tautológico e uma função formadora, modelar. As grandes obras clássicas fornecem ao mesmo tempo os princípios construtivos e de avaliação, estabelecendo-se assim uma cadeia ininterrupta em que a produção e o julgamento são medidos por um único parâmetro.

O grande interesse desse último trecho do Tratado do Sublime *é que ele formula, talvez pela primeira vez, o caráter circular da teoria clássica da literatura. E tal formulação vai ser repetida ainda no século XIX. Freire de Carvalho em 1840, procurando uma "regra fixa" para a determinação do gosto, dirá:*

"[. . .] aquilo que os homens concordemente admirarem, isso deverá ser tido por belo, e o Gosto verdadeiro e exato será aquele que mais se conformar com o sentir universal dos homens." [17]

E, no Brasil do século XIX, Lopes Gama, autor de um manual de eloqüência, faz eco àquelas palavras:

"Devemos, pois, reconhecer que no homem há sensibilidade física e razão; que umas vezes a sensibilidade física obra só, e então não tem lugar o erro, nem a disputa; que outras vezes também a razão obra por si só, e neste caso ela é a expressão de alguma cousa de objetivo, e por conseguinte de universal. Se se reúnem a sensação e o juízo, então existem um elemento individual, e um elemento universal: nós sentimos como indivíduos e julgamos como humanidade; por outra, o juízo tem uma alçada que se estende fora da esfera pessoal." [18]

3.7. Finalmente, estabelecidas aquelas duas advertências, uma sobre os cuidados com a forma da linguagem que apreende e revela o sublime, outra sobre o conceito que o define e o torna possível, está o Anônimo em condições de abordar as fontes da elevação do estilo.

São cinco as fontes do sublime literário. As duas primeiras dizem respeito aos pensamentos e aos sentimentos, isto é, a faculdade "de

---

17. Carvalho, Francisco Freire de. *Breve Ensaio sobre a crítica literária ou Metafísica das Belas-Letras; para servir de continuação às Lições Elementares de Eloqüência e de Poética Nacional*, pp. 26/7. Em *Lições elementares de Poética Nacional*, 6.ª ed., Lisboa, Tip. Rolandiana, 1860 (1.ª ed. 1840).

18. Gama, Miguel do Sacramento Lopes. *Lições de Eloqüência Nacional*. 2 vols. Rio, Tip. Imparcial de F. de Paula Brito, 1846. 2.º vol., p. 3.

alçar-se a pensamentos sublimados" e "a emoção veemente e inspirada". São os fatores psíquicos, disposições inatas, que constituem o objeto da representação. As três últimas fontes, "as figuras", "a nobreza da expressão" e "o ritmo", são de natureza lingüística, e, portanto, produtos da arte.

Observe-se que tal divisão reproduz o duplo modelo proposto pela retórica antiga: a relação "natura/ars" que comanda a atividade criativa e correlata à relação "res/verba" que constitui a matéria da criação, o discurso.

Portanto, apesar das diferenças, os dois grupos de fontes se complementam. Aliás o Anônimo declara que "[...] no discurso (...) o pensamento e a linguagem se implicam mutuamente" e que "a beleza das palavras é luz própria do pensamento". (c. XXX, 1)

Mas há outro fator que une as duas ordens de fontes: se a elevação *inerente ao sublime representa um momento excepcional ao nível psíquico, como sugere o Anônimo, "não é a persuasão" que o sublime conduz o ouvinte, "mas a arrebatamento" (c. I, 4) e "o sublime é o rebôo da grandeza de alma" (c. IX, 2), as três últimas fontes representam uma espécie de anomalia ao nível lingüístico. A este respeito deve-se lembrar que a retórica antiga definia as figuras "por se afastarem do modo simples e comum de falar".* [19]

Compreende-se, desse modo, que para o Anônimo a estrutura da linguagem não era apenas o meio, mas a condição, o fator criativo que instaura o sublime:

> "(...) o hipérbato, figura pela qual a ordenação das palavras e pensamentos é tirada da seqüência regular; é, por assim dizer, o mais verdadeiro cunho de uma emoção violenta." (c. XXII, 1)

Em última instância, a complementaridade existente entre sentimento e expressão reflete um dos fundamentos da realidade artística, isto é, a íntima fusão entre a natureza e a arte:

> "(...) a arte é acabada quando com esta [a natureza] se parece e, por sua vez, a natureza é bem sucedida quando dissimula a arte em seu seio." (c. XXII, 1)

ROBERTO DE OLIVEIRA BRANDÃO

---

19. Quint., *op. cit.*, 9, 3, 3.

ARISTÓTELES

POÉTICA

Bibliografia:

Poética, de Aristóteles, nas seguintes edições:

Scriptorum Classicorum Bibliotheca Oxoniensis, recognovit I. Bywater, Clarendon, editio altera, 1953.

The Loeb Classical Library, with an English translation by W. Hamilton Fyfe, London, 1960.

Soc. d'Édition "Les Belles Lettres", texte établi et traduit par J. Hardy, Paris, 1952.

I

Falemos da natureza e espécies da poesia, do condão de cada uma, de como se hão de compor as fábulas para o bom êxito do poema; depois, do número e natureza das partes e bem assim da demais matéria dessa pesquisa, começando, como manda a natureza, pelas noções mais elementares.

A epopéia, o poema trágico, bem como a comédia, o ditirambo [1] e, em sua maior parte, a arte do flauteiro e a do citaredo, todas vêm a ser, de modo geral, imitações. Diferem entre si em três pontos: imitam ou por meios diferentes, ou objetos diferentes, ou de maneira diferente e não a mesma.

Assim como alguns imitam muitas coisas figurando-as por meio de cores e traços (uns graças à arte; outros, à prática)e outros o fazem por meio da voz, assim também ocorre naquelas mencionadas artes; todas elas efetuam a imitação pelo ritmo, pela palavra e pela melodia, quer separados, quer combinados. Valem-se, por exemplo, apenas da melodia e ritmo a arte de tocar flauta e a da cítara, mais outras que porventura tenham a mesma propriedade, tal como a das fístulas; [2] já a arte da dança recorre apenas ao ritmo, sem a melodia; sim, porque os bailarinos, por meio de gestos ritmados, imitam caracteres, emoções, ações.

A arte que se utiliza apenas de palavras, sem ritmo ou metrificadas, estas seja com variedade de metros combinados, seja usando uma só espécie de metro, até hoje não recebeu um nome. [3] Não dispomos de nome que dar aos mimos [4] de Sófron e Xenarco ao mesmo tempo que aos diálogos socráticos e às obras de quem realiza a imi-

---

1. Hino coral em louvor de Dioniso (Baco).
2. Flauta de pastor.
3. Diz-se hoje *Literatura*, muito se discutindo sobre o conceito.
4. Pequena farsa em prosa, de assunto ordinariamente familiar.

tação por meio de trímetros, dísticos elegíacos ou versos semelhantes. Nada impede que pessoas, ligando à metrificação a poesia, dêem a uns poetas o nome de elegíacos, a outros o de épicos, denominando-os, não segundo a imitação que fazem, mas indiscriminadamente conforme o metro que usam.

Costuma-se dar esse nome mesmo a quem publica matéria médica ou científica em versos, mas, além da métrica, nada há de comum entre Homero e Empédocles; por isso, o certo seria chamar poeta ao primeiro e, ao segundo, antes naturalista do que poeta. Semelhantemente, quem realizasse a imitação combinando todos os metros, como Querêmon na rapsódia *Centauro*, mesclada de todos os metros, também devia ser chamado poeta.

Quanto a este ponto, bastam as distinções feitas.

Artes há que se utilizam de todos os meios citados, quero dizer, do ritmo, da melodia, do metro, como a poesia ditirâmbica, a dos nomos,[5] a tragédia e a comédia; diferem por usarem umas de todos a um tempo, outras ora de uns, ora de outros. A essas diferenças das artes me refiro quando falo em meios de imitação.

II

Como aqueles que imitam imitam pessoas em ação, estas são necessariamente ou boas ou más (pois os caracteres quase sempre se reduzem apenas a esses, baseando-se no vício ou na virtude a distinção do caráter), isto é, ou melhores do que somos, ou piores, ou então tais e quais, como fazem os pintores; Polignoto, por exemplo, melhorava os originais; Pausão os piorava; Dionísio pintava-os como eram. Evidentemente, cada uma das ditas imitações admitirá essas distinções e diferirão entre si por imitarem assim objetos diferentes.

Essas diversidades podem ocorrer igualmente na arte da dança, na da flauta ou da cítara; bem assim no que tange à prosa e na poesia não musicada. Homero, por exemplo, imitava pessoas superiores; Cleofonte, iguais; Hegêmon de Tasos, o primeiro a compor paródias, e Nicócares, o autor da *Dilíada*,[6] inferiores; o mesmo se diga quanto aos ditirambos e nomos; podem-se criar caracteres como os ciclopes de Timóteo e de Filóxeno.

---

5. Cântico ao som de harpa, em louvor de Apolo.

6. *Dilíada* lembra *Ilíada*, mas celebra poltrões em vez de heróis, ao que sugere o nome. O poema, aliás, é desconhecido.

Nessa mesma diferença divergem a tragédia e a comédia; esta os quer imitar inferiores e aquela superiores aos da atualidade.

III

Uma terceira diferença nessas artes reside em como representam cada um desses objetos. Com efeito, podem-se às vezes representar pelos mesmos meios os mesmos objetos, seja narrando, quer pela boca duma personagem, como fez Homero, quer na primeira pessoa, sem mudá-la, seja deixando as personagens imitadas tudo fazer, agindo.

Essas, pois, as três diferenças que distinguem a representação, como dissemos de início: meios, objetos e maneira.

Assim, dum modo Sófocles [7] é imitador no mesmo sentido que Homero — pois ambos representam seres superiores — de outro, no mesmo sentido que Aristófanes, [8] pois ambos representam pessoas fazendo, agindo.

Essa, segundo alguns, a razão do nome *drama*, o representá-las *em ação*. Por isso também reivindicam os dórios para si tanto a tragédia, quanto a comédia; a comédia, os megarenses [9] daqui, como criada no tempo de sua democracia, e os da Sicília, por ser dali Epicarmo, poeta muito anterior a Quiônides e Magnes; a tragédia, alguns do Peloponeso. Alegam como prova a denominação, porquanto eles, dizem, dão o nome de *comas* aos arrabaldes; os atenienses, o de *demos*. Os comediantes tirariam o nome, não do verbo *komázein*, [10] mas do fato de vaguearem pelos arrabaldes, tocados, com desprezo, para fora da cidade; ademais, *agir*, no seu dialeto, é *dran*, ao passo que os atenienses dizem *práttein*.

Quanto, pois, às diferenças de representação, seu número e natureza, basta o que dissemos.

IV

Parece, de modo geral, darem origem à poesia duas causas, ambas naturais. Imitar é natural ao homem desde a infância — e nisso

---

7. Autor de tragédias.

8. Autor de comédias.

9. Duas cidades se chamavam Mégara; uma, próxima do Istmo de Corinto; a outra, na Sicília.

10. Percorrer as ruas em cortejo, cantando e dançando.

difere dos outros animais, em ser o mais capaz de imitar e de adquirir os primeiros conhecimentos por meio da imitação — e todos têm prazer em imitar.

Prova disso é o que acontece na realidade: das coisas cuja visão é penosa temos prazer em contemplar a imagem quanto mais perfeita; por exemplo, as formas dos bichos mais desprezíveis e dos cadáveres.

Outra razão é que aprender é sumamente agradável não só aos filósofos, mas igualmente aos demais homens, com a diferença de que a estes em parte pequenina. Se a vista das imagens proporciona prazer é porque acontece a quem as contempla aprender e identificar cada original; por exemplo, "esse é Fulano"; aliás, se, por acaso, a gente não o viu antes, não será como representação que dará prazer, senão pela execução, ou pelo colorido, ou por alguma outra causa semelhante.

Por serem naturais em nós a tendência para a imitação, a melodia e o ritmo — que os metros são parte dos ritmos é fato evidente — primitivamente, os mais bem dotados para eles, progredindo a pouco e pouco, fizeram nascer de suas improvisações a poesia.

A poesia diversificou-se conforme o gênio dos autores; uns, mais graves, representavam as ações nobres e as de pessoas nobres; outros, mais vulgares, as do vulgo, compondo inicialmente vitupérios, como os outros compunham hinos e encômios.

De nenhum autor anterior a Homero podemos citar uma obra desse gênero, embora seja provável que tenha havido muitos; podemos, a partir de Homero, mencionar, por exemplo o seu *Margites* e outros semelhantes, nos quais, em harmonia com o gênero, veio também o metro jâmbico [11] — ainda hoje se denomina poesia jâmbica esse gênero — porque nesse metro se trocavam doestos. Houve, pois, entre os antigos, autores tanto de versos heróicos, [12] quanto de jâmbicos.

Homero, assim como foi autor de poemas nobres — pois só ele compôs obras, que, sobre serem excelentes, são representação de ações — assim também foi o primeiro a mostrar o esboço da comédia,

---

11. O jambo é um pé de duas sílabas, a primeira, breve e a segunda, longa. Usava-se nas invectivas.

12. Hexâmetro, verso teoricamente composto de seis dáctilos, pés formados de uma sílaba longa seguida de duas breves.

dramatizando, não o vitupério, mas o cômico, pois o *Margites* está para as comédias como a *Ilíada* e a *Odisséia* para as tragédias.

Surgidas a tragédia e a comédia, os autores, segundo a inclinação natural, pendiam para esta ou aquela; uns tornaram-se, em lugar de jâmbicos, comediógrafos; outros, em lugar de épicos, trágicos, por serem estes gêneros superiores àqueles e mais estimados.

Examinar se a tragédia em suas variedades alcançou ou não pleno desenvolvimento, julgada em si mesma e nos espetáculos, é outra questão.

Nascida, pois, de improvisações a princípio — tanto ela quanto a comédia, uma por obra dos que regiam o ditirambo, a outra por obra dos que regiam os cantos fálicos, costume ainda hoje conservado em muitas cidades — a pouco e pouco a tragédia cresceu desenvolvendo os elementos que se revelavam próprios dela e, após muitas mudanças, estabilizou-se quando atingiu a natureza própria.

Foi Ésquilo quem teve a iniciativa de elevar de um para dois o número de atores; ele diminuiu o papel do coro e atribuiu ao diálogo a primazia; o número de três atores e o cenário devem-se a Sófocles. Adquirindo extensão com o abandono de fábulas curtas e da linguagem cômica, que trazia de sua origem satírica, a tragédia só tardiamente adquiriu majestade. O seu metro, de tetrâmetro trocaico, [13] passou a jâmbico; a princípio usavam o tetrâmetro trocaico porque o poema era satírico [14] e mais chegado à dança, mas, tornando-se diálogo, achou naturalmente o metro próprio, pois o jâmbico é o metro mais coloquial. Demonstra-o o fato de proferirmos na conversação muitos trímetros jâmbicos e raramente hexâmetros, e estes, quando saímos do tom de conversa.

O número de episódios e ornamentos em geral com que se diz terem sido ordenadas as partes, demo-los por estudados, pois daria longo trabalho discorrer sobre cada um.

V

A comédia, como dissemos, é imitação de pessoas inferiores; não, porém, com relação a todo vício, mas sim por ser o cômico uma

---

13. Tetrâmetro, verso formado de quatro metros, cada um de dois pés. O troqueu, ou coreu, compõe-se de uma sílaba longa seguida duma breve.

14. Interlúdio curto e jocoso, interpretado por atores vestidos como sátiros. O nome nada tem com o de sátira, que é latino.

espécie do feio. A comicidade, com efeito, é um defeito e uma feiúra sem dor nem destruição; um exemplo óbvio é a máscara cômica, feia e contorcida, mas sem expressão de dor.

As transformações por que passou a tragédia, bem como os seus autores, são conhecidos; os da comédia, porém, são desconhecidos por não ter ela gozado de estima desde o começo. Com efeito, só tardiamente o arconte [15] forneceu o coro de comediantes; antes, eram voluntários. Ela já tinha adquirido certa forma, quando se passou a lembrar o nome dos chamados poetas cômicos.

Não se sabe quem introduziu máscaras, prólogos, número de atores e semelhantes particularidades; o compor fábulas é de Epicarmo e Fórmis. O começo foi na Sicília; em Atenas, foi Crates o primeiro a abandonar a forma jâmbica e compor diálogos e enredos de assunto genérico.

A poesia épica emparelha-se com a tragédia em serem ambas imitação metrificada de seres superiores; a diferença está em que aquela se compõe num metro uniforme e é narrativa. Também na extensão; a tragédia, com efeito, empenha-se, quanto possível, em não passar duma revolução do sol ou superá-la de pouco; a epopéia não tem duração delimitada e nisso difere. Não obstante, primitivamente, procediam assim tanto nas tragédias como nas epopéias.

Das partes componentes, umas são as mesmas; outras, peculiares à tragédia. Por isso, quem sabe discernir entre a boa tragédia e a ruim sabe-o também quanto à epopéia, pois o que a epopéia tem está presente na tragédia, mas nem tudo que esta possui se encontra naquela.

VI

Da arte de imitar em hexâmetros e da comédia trataremos adiante. Falemos da tragédia, tomando sua definição em decorrência do que dissemos. É a tragédia a representação duma ação grave, de alguma extensão e completa, em linguagem exornada, cada parte com o seu atavio adequado, com atores agindo, não narrando, a qual, inspirando pena e temor, opera a catarse própria dessas emoções. Chamo linguagem exornada a que tem ritmo, melodia e canto; e atavio adequado, o serem umas partes executadas com simples metrificação e as outras, cantadas.

---

15. Magistrado executivo em Atenas.

Como a imitação é feita por personagens em ação, necessariamente seria uma parte da tragédia em primeiro lugar o bom arranjo do espetáculo; em segundo, o canto e as falas, pois é com esses elementos que se realiza a imitação.

Por falas entendo o simples conjunto dos versos; por canto, coisa que tem um sentido inteiramente claro.

Como se trata da imitação duma ação, efetuada por pessoas agindo, as quais necessariamente se distinguem pelo caráter e idéias (pois essas diferenças empregamos na qualificação das ações), existem duas causas naturais das ações: idéias e caráter, e todas as pessoas são bem ou mal sucedidas conforme essas causas.

Está na fábula a imitação da ação. Chamo fábula a reunião das ações; caráter, aquilo segundo o quê dizemos terem tais ou tais qualidades as figuras em ação; idéias, os termos que empregam para argumentar ou para manifestar o que pensam.

Toda tragédia, pois, comporta necessariamente seis elementos, dos quais depende a sua qualidade, a saber: fábula, caracteres, falas, idéias, espetáculo e canto. Com efeito, dois elementos são os meios da imitação; um, a maneira; três, o objeto; além desses não há outro. Deles, por assim dizer, todos os poetas se valem, pois todo drama envolve igualmente espetáculo, caráter, fábula, falas, canto e idéias.

A mais importante dessas partes é a disposição das ações; a tragédia é imitação, não de pessoas, mas de uma ação, da vida, da felicidade, da desventura; a felicidade e a desventura estão na ação e a finalidade é uma ação, não uma qualidade. Segundo o caráter, as pessoas são tais ou tais, mas é segundo as ações que são felizes ou o contrário. Portanto, as personagens não agem para imitar os caracteres, mas adquirem os caracteres graças às ações. Assim, as ações e a fábula constituem a finalidade da tragédia e, em tudo, a finalidade é o que mais importa.

Ademais, sem ação não poderia haver tragédia; sem caracteres, sim. As tragédias da maioria dos autores modernos carecem de caracteres; a muitos poetas sucede, de modo geral, o mesmo que a Zêuxis entre os pintores, em confronto com Polignoto; este, com efeito, é um excelente pintor de caracteres, enquanto nenhum estudo de caráter há na pintura de Zêuxis.

Outrossim, mesmo quando se alinhem falas reveladoras de caráter, bem construídas em matéria de linguagem e idéias, não se realizará obra própria de tragédia; muito mais se obterá com uma tragédia deficiente nessas partes, mas provida duma fábula e do arranjo das ações. Além disso, os mais importantes meios de fascinação das tragédias são partes da fábula, isto é, as peripécias e os reconhecimentos.

Mais uma prova é que os que empreendem poetar logram exatidão na fala e nos caracteres antes de a conseguirem no arranjo das ações, como quase todos os autores primitivos.

A fábula é, pois, o princípio, a alma, por assim dizer, da tragédia, vindo em segundo lugar os caracteres. É mais ou menos como na pintura; se alguém lambusasse uma tela com as mais belas tintas em confusão, não agradaria como quem esboçasse uma figura em branco e preto. A tragédia é imitação duma ação e sobretudo em vista dela é que imita as pessoas agindo.

Vêm em terceiro lugar as idéias, isto é, a capacidade de exprimir o que, contido na ação, com ela se harmoniza; tarefa, nos discursos, da política e da retórica. Os antigos faziam as personagens falar como cidadãos; os modernos, como mestres de retórica.

Caráter é aquilo que mostra a escolha numa situação dúbia: aceitação ou recusa — por isso, carecem de caráter as palavras quando nelas não há absolutamente nada que o intérprete aceite ou recuse. Há idéias quando os intérpretes dizem que algo é ou não é, ou expressam alguma coisa em termos genéricos.

O quarto componente literário é a fala; entendo, como ficou dito, que fala é a interpretação por meio de palavras, o que tanto vale para versos como para prosa.

Dos restantes componentes é o canto o maior dos ornamentos. O espetáculo, embora fascinante, é o menos artístico e mais alheio à poética; dum lado, o efeito da tragédia subsiste ainda sem representação nem atores; doutro, na encenação, tem mais importância a arte do contra-regra do que a dos poetas.

VII

Definidos os componentes, passemos ao problema do arranjo das ações, pois esse é fator primeiro e mais importante da tragédia.

Assentamos que a tragédia é a imitação duma ação acabada e inteira, de alguma extensão, pois pode uma coisa ser inteira sem ter extensão. Inteiro é o que tem começo, meio e fim. Começo é aquilo que, de per si, não se segue necessariamente a outra coisa, mas após o quê, por natureza, existe ou se produz outra coisa; fim, pelo contrário, é aquilo que, de per si e por natureza, vem após outra coisa, quer necessária, quer ordinariamente, mas após o quê não há nada mais; meio o que de si vem após outra coisa e após o quê outra coisa vem.

As fábulas bem constituídas não devem começar num ponto ao acaso, nem acabar num ponto ao acaso, mas utilizar-se das fórmulas referidas.

Outrossim, a beleza, quer num animal, quer em qualquer coisa composta de partes, sobre ter ordenadas estas, precisa ter determinada extensão, não uma qualquer; o belo reside na extensão e na ordem, razão por que não poderia ser belo um animal de extrema pequenez (pois se confunde a visão reduzida a um momento quase imperceptível), nem de extrema grandeza (pois a vista não pode abarcar o todo, mas escapa à visão dos espectadores a unidade e o todo, como, por exemplo, se houvesse um animal de milhares de estádios). Assim como as coisas compostas e os animais precisam ter um tamanho tal que possibilite aos olhos abrangê-los inteiros, assim também é mister que as fábulas tenham uma extensão que a memória possa abranger inteira.

O limite de extensão com respeito aos concursos e à percepção da platéia não é matéria da arte; se houvessem de concorrer cem tragédias, fá-lo-iam sob a clepsidra, como, dizem, já mais duma vez aconteceu. Quanto ao limite conforme a natureza mesma da ação, sempre quanto mais longa a fábula até onde o consinta a clareza do todo, tanto mais bela graças à amplidão; contudo, para dar uma definição simples, a duração deve permitir aos fatos suceder-se, dentro da verossimilhança ou da necessidade, passando do infortúnio à ventura, ou da ventura ao infortúnio: esse o limite de extensão conveniente.

VIII

Não consiste a unidade da fábula, como crêem alguns, em ter um só herói, pois a um mesmo homem acontecem fatos sem conta, sem deles resultar nenhuma unidade. Assim também uma pessoa pratica muitas ações, que não compõem nenhuma ação única. Daí parece terem errado todos os autores de *Heracleidas* e *Teseidas* [16] e poemas congêneres, supondo que, por ser Heracles um só, a fábula ganharia também unidade.

---

16. Poemas sobre Heracles (Hércules) e Teseu, heróis de múltiplas façanhas independentes umas das outras.

Homero, assim como é superior em tudo mais, parece ter visto muito bem também isso, seja pelo conhecimento da arte, seja pelo seu gênio; escrevendo a *Odisséia*, não narrou tudo quanto aconteceu ao herói, por exemplo, o ferimento no Parnaso,[17] a simulação de loucura quando se arregimentava a tropa,[18] fatos dos quais a ocorrência de um não acarretava a necessidade ou probabilidade do outro, mas compôs a *Odisséia* em torno duma ação única, como a entendemos, e assim também a *Ilíada*.

Portanto, assim como, nas outras espécies de representação, a imitação única decorre da unidade do objeto, é preciso que a fábula, visto ser imitação duma ação, o seja duma única e inteira, e que suas partes estejam arranjadas de tal modo que, deslocando-se ou suprimindo-se alguma, a unidade seja aluída e transtornada; com efeito, aquilo cuja presença ou ausência não traz alteração sensível não faz parte nenhuma do todo.

IX

É claro, também, pelo que atrás ficou dito, que a obra do poeta não consiste em contar o que aconteceu, mas sim coisas quais podiam acontecer, possíveis no ponto de vista da verossimilhança ou da necessidade

Não é em metrificar ou não que diferem o historiador e o poeta; a obra de Heródoto podia ser metrificada; não seria menos uma história com o metro do que sem ele; a diferença está em que um narra acontecimentos e o outro, fatos quais podiam acontecer. Por isso, a Poesia encerra mais filosofia e elevação do que a História; aquela enuncia verdades gerais; esta relata fatos particulares. Enunciar verdades gerais é dizer que espécie de coisas um indivíduo de natureza tal vem a dizer ou fazer verossímil ou necessariamente; a isso visa a Poesia, ainda quando nomeia personagens. Relatar fatos particulares é contar o que Alcibíades[19] fez ou o que fizeram a ele.

---

17. Mordido por um javali, na adolescência, numa caçada com o avô. Ao exemplar da *Odisséia* de que dispunha Aristóteles faltava provavelmente a descrição que se lê no canto XIX a partir do verso 395.

18. Em Áulis, a fim de não embarcar para a guerra, Odisseu fingiu ter enlouquecido, mas Palamedes o desmascarou.

19. *Alcibíades* é aqui como se dissesse *Fulano*.

No que concerne à comédia, isso a esta altura já se tornou evidente, pois a fábula é composta segundo as verossimilhanças e depois é que se dão nomes quaisquer às personagens, não como os poetas jâmbicos, que escrevem visando a pessoas determinadas.

Já nas tragédias, os autores se apóiam em nomes de pessoas que existiram; [20] a razão é que o possível é crível; ora, o que não aconteceu não cremos de imediato que seja possível, mas o que aconteceu o é evidentemente; se impossível, não teria acontecido.

Não obstante, nalgumas tragédias são familiares uma ou duas personagens; as demais, fictícias; noutras, nenhuma, como no *Anteu* de Agatão; nesta, tanto a ação como as personagens são imaginárias; nem por isso agrada menos.

Assim, não é imperioso procurar ater-se a todo custo às fábulas tradicionais, em torno das quais tem girado a tragédia. É esse um empenho risível, dado que as fábulas conhecidas o são de poucos e, não obstante, agradam a todos.

Isso evidencia que o poeta há de ser criador mais das fábulas que dos versos, visto que é poeta por imitar e imita ações. Ainda quando porventura seu tema sejam fatos reais, nem por isso é menos criador; nada impede que alguns fatos reais sejam verossímeis e possíveis e é em virtude disso que ele é seu criador.

Das fábulas e ações simples, as episódicas são as mais fracas. Chamo episódica aquela em que a sucessão dos episódios não decorre nem da verossimilhança nem da necessidade. Dessas fazem os poetas medíocres por serem o que são, e também os bons por atenção aos atores; compondo para concursos e dilatando a fábula além do que ela suporta, são amiúde forçados a contrafazer a seqüência natural.

O objeto da imitação, porém, não é apenas uma ação completa, mas casos de inspirar temor e pena, e estas emoções são tanto mais fortes quando, decorrendo uns dos outros, são, não obstante, fatos inesperados, pois assim terão mais aspecto de maravilha do que se brotassem do acaso e da sorte; com efeito, mesmo dentre os fortuitos, despertam a maior admiração os que aparentam ocorrer, por assim dizer, de propósito; por exemplo, a estátua de Mítis em Argos matou o culpado da morte de Mítis, tombando sobre ele, quando assistia a um festejo; ocorrências semelhantes não se afiguram casuais; segue-se necessariamente que as fábulas dessa natureza são mais belas.

---

20. Segundo a tradição.

X

Umas fábulas são simples, outras complexas; é que as ações imitadas por elas são obviamente tais. Chamo simples a ação quando, ocorrendo ela, como ficou definido, de maneira coerente e una, se dá mudança de fortuna sem se verificarem peripécias e reconhecimentos; complexa, quando dela resulta mudança de fortuna, seja com reconhecimento, seja com peripécia, seja com ambas as coisas.

Essas ocorrências devem nascer da própria constituição da fábula, decorrendo por necessidade ou verossimilhança de eventos anteriores; muita diferença vai entre acontecer isto, dum lado, por causa daquilo e, doutro, após aquilo.

XI

Peripécia é uma viravolta das ações em sentido contrário, como ficou dito; e isso, repetimos, segundo a verossimilhança ou necessidade; como, no Édipo, quem veio com o propósito de dar alegria a Édipo e libertá-lo do temor com relação à mãe,[21] ao revelar quem ele era, fez o contrário; igualmente, no Linceu; este é levado para morrer e Dânao vai empós para o matar, mas, em conseqüência dos fatos, acabou morrendo Dânao e salvando-se Linceu.

O reconhecimento, como a palavra mesma indica, é a mudança do desconhecimento ao conhecimento, ou à amizade, ou ao ódio, das pessoas marcadas para a ventura ou desdita. O mais belo reconhecimento é o que se dá ao mesmo tempo que uma peripécia, como aconteceu no *Édipo.*

Existem outras formas de reconhecimento, pois, com respeito a coisas inanimadas e triviais, sucede por vezes o que acabamos de dizer e se pode reconhecer se alguém praticou ou não uma ação. Porém o mais próprio da fábula e mais próprio da ação é o que foi exposto acima. Com efeito, um reconhecimento dessa espécie, com peripécia, acarretará pena ou temor; de ações com tais efeitos é que se entende ser a tragédia uma imitação. Outrossim, a má ou boa sorte dependerá de semelhantes ações.

---

21. Mérope, suposta mãe; o que Édipo temia estava acontecendo com a verdadeira, Jocasta.

Como o reconhecimento se dá entre pessoas, às vezes é apenas uma personagem que reconhece outra, quando não há dúvida sobre a identidade de uma delas; às vezes ambas devem reconhecer; por exemplo, Ifigênia foi reconhecida por Orestes[22] pelo envio da carta, mas para ele ser reconhecido por ela era preciso outro reconhecimento.

Nesse passo se verificam duas partes da fábula, a peripécia e o reconhecimento; mas há uma terceira, o patético. Das três já estudamos a peripécia e o reconhecimento; o patético consiste numa ação que produz destruição ou sofrimento, como mortes em cena, dores cruciantes, ferimentos e ocorrências desse gênero.

XII

Dos elementos constitutivos da tragédia que cumpre utilizar tratamos atrás; quanto à extensão e divisão em secções distintas, estas são as partes: prólogo, episódio, êxodo, canto coral, distinguindo-se neste último o párodo e o estásimo; estas partes são comuns a todas as tragédias; os cantos dos atores e os *comos* são peculiares a algumas.

Prólogo é toda a parte da tragédia que antecede a entrada do coro; episódio, toda uma parte da tragédia situada entre dois cantos corais completos; êxodo, toda a parte da tragédia após a qual não vêm canto do coro. Do canto coral, o párodo é todo o primeiro pronunciamento do coro; estásimo, o canto coral sem anapestos e troqueus;[23] *como*, um lamento conjunto do coro e dos atores.

Dos elementos constitutivos da tragédia que cumpre utilizar tratamos atrás; quanto à extensão e à divisão em secções distintas, são essas as partes.

XIII

O que é preciso visar, o que importa evitar na composição das fábulas, por que meios lograr o efeito próprio da tragédia, eis o que cumpre expor em continuação ao que ora foi dito.

Como a estrutura da tragédia mais bela tem de ser complexa e não simples e ela deve consistir na imitação de fatos inspiradores de temor e pena — característica própria de tal imitação — em primeiro

---

22. Em Eurípides, *Ifigênia em Táuride.*

23. Anapestos são pés formados de duas sílabas breves seguidas duma longa. Estásimo é canto coral que separa dois episódios.

lugar é claro que não cabe mostrar homens honestos passando de felizes a infortunados (isso não inspira temor nem pena, senão indignação); nem os refeces, do infortúnio à felicidade (isso é o que há de menos trágico; falta-lhe todo o necessário, pois não inspira nem simpatia humana, nem pena, nem temor); tampouco o indivíduo perverso em extremo tombando da felicidade no infortúnio; semelhante composição, embora pudesse despertar simpatia humana, não inspiraria pena, nem temor; de tais sentimentos, um experimentamos com relação ao infortúnio não merecido; o outro, com relação a alguém semelhante a nós; a pena, com relação a quem não merece o seu infortúnio; o temor, com relação ao nosso semelhante; assim, o resultado não será nem pena, nem temor.

Resta o herói em situação intermediária; é aquele que nem sobreleva pela virtude e justiça, nem cai no infortúnio em conseqüência de vício e maldade, senão de algum erro, figurando entre aqueles que desfrutam grande prestígio e prosperidade; por exemplo, Édipo, Tiestes e homens famosos de famílias como essas.

Necessariamente, pois, deve a fábula bem sucedida ser singela e não, como pretendem alguns, desdobrada; passar, não do infortúnio à felicidade, mas, ao contrário, da felicidade a infortúnio que resulte, não de maldade, mas dum grave erro de herói como os mencionados, ou dum melhor antes que dum pior.

Di-lo a prática; a princípio, os poetas narravam as fábulas sem escolha; hoje, as mais belas tragédias se compõem em torno dumas poucas casas, por exemplo, as de Alcmeão, Édipo, Orestes, Meléagro, Tiestes e Télefo, e quantos outros vieram a sofrer ou causar desgraças tremendas.

A mais bela tragédia, portanto, à luz dos preceitos da arte, tem essa estrutura.

Portanto, nisso precisamente erram os que censuram Eurípides por proceder assim nas tragédias e por terminarem muitas das suas num infortúnio. Essa, como vimos, é a maneira correta. Uma prova muito válida é que, em cenas e nos concursos, os dramas desse tipo são os mais trágicos, quando bem dirigidos, e Eurípides, embora não tenha em geral uma boa economia, se mostra o mais trágico dos poetas.

Segue-se a tragédia que alguns qualificam como primeira, a que tem uma estrutura desdobrada, como a *Odisséia*, e tem desfechos opostos para as personagens melhores e para as piores. Qualificam-na como a primeira, considerando os gostos da platéia; os autores acompanham a preferência dos espectadores. Mas esse não é o prazer próprio da tragédia, senão o da comédia, pois nesta os mais ferrenhos inimigos nos mitos, como Orestes e Egisto, saem, por fim, conciliados, sem que ninguém mate e ninguém morra.

XIV

Às vezes, os sentimentos de temor e pena procedem do espetáculo; às vezes, também, do próprio arranjo das ações, como é preferível e próprio de melhor poeta. É mister, com efeito, arranjar a fábula de maneira tal que, mesmo sem assistir, quem ouvir contar as ocorrências sinta arrepios e compaixão em conseqüência dos fatos; é o que experimentaria quem ouvisse a estória de Édipo. Obter esse efeito por meio do espetáculo é menos artístico e requer apenas recursos cênicos.

Aqueles que deparam por meio do espetáculo, em vez do sentimento de temor, apenas o monstruoso, nada têm de comum com a tragédia, pois nesta não se deve procurar todo e qualquer prazer, e sim o que lhe é próprio. Como, porém, o poeta deve proporcionar pela imitação o prazer advindo da pena e do temor, é evidente que essas emoções devem ser criadas nos incidentes.

Examinemos quais eventos parecem temerosos e quais confrangedores.

Ações dessa natureza ocorrem necessariamente entre pessoas ou amigas, ou inimigas, ou indiferentes. No caso dum inimigo atentar contra outro, tirante o patético em si mesmo, nada há que cause pena, quer chegue à execução, quer fique apenas no propósito; tampouco no caso de indiferentes. Quando, porém, o evento patético acontece entre pessoas que se querem bem, por exemplo, um irmão mata ou está a ponto de matar outro, ou o filho ao pai, a mãe ao filho, o filho à mãe, ou se comete alguma outra monstruosidade semelhante, aí temos o que buscar.

Não se deve romper com as fábulas conservadas pela tradição; refiro-me, por exemplo, à morte de Clitemnestra às mãos de Orestes e a de Erifila às de Alcmeão; [24] o poeta deve criar, servindo-se atinadamente do legado tradicional. Expliquemos com maior clareza o que entendemos por atinadamente.

A ação pode ser praticada, como a concebiam os poetas de outrora, por personagens cientes e conscientes, como também Eurípides

24. Dois exemplos de matricídio.

figurou a Medéia matando os filhos; pode também ser praticada sem que o autor tenha consciência da monstruosidade, mas venha depois a reconhecer o parentesco, como o Édipo de Sófocles. Nesse caso, o acontecimento se deu fora do drama, mas exemplo de ação levada a efeito na tragédia mesma é o *Alcmeão* de Astidamante, ou o Telégono do *Ulisses Ferido*.

Além dessas há uma terceira figuração: a de quem vai cometer, por ignorância, um ato irreparável, mas, antes de consumá-lo, reconhece a vítima. Além dessas não há outra hipótese, pois necessariamente a ação se pratica ou não se pratica, com conhecimento ou sem ele.

A menos eficaz das figurações é a duma personagem, na iminência dum atentado consciente, não o consumar; causa repulsa, sim, mas não é trágica, por não se dar a desgraça. Por isso, nenhum poeta cria situação semelhante, salvo raros casos, como o de Hêmon, na *Antígona*, contra Creonte.[25]

Vem em seguida o caso da execução. Melhor é quando a personagem pratica a ação sem conhecimento e reconhece depois de a praticar, pois então não há repulsa e o reconhecimento produz abalo.

A melhor figuração é a última; refiro-me, por exemplo, à do *Cresfonte*, quando Mérope, a ponto de matar o filho, não o mata e sim reconhece; igual conjuntura, na *Ifigênia*, entre a irmã e o irmão, e na *Hele*, quando, a ponto de entregar a mãe, o filho a reconhece.

Por esse motivo, como atrás dissemos, as tragédias giram em torno dumas poucas famílias. Em suas pesquisas, os poetas descobriram, não por sua arte, mas por acaso, como deparar tais situações nas fábulas; são, pois, forçados a recorrer àquelas casas em que aconteceram tais desgraças.

Do arranjo das ações e da natureza que devem ter as fábulas ficou dito o bastante.

XV

Quanto aos caracteres, há quatro alvos a que visar. Um e o primeiro deles é que sejam bons. A peça terá caráter, se, como dissemos, as palavras ou ações evidenciam uma escolha; ele será bom, se esta for boa. Isso aplica-se a cada gênero de personagem; mesmo uma

---

25. Nesta tragédia de Sófocles, Hêmon ameaça a Creonte, seu pai.

mulher ou um escravo podem ser bons, embora talvez a mulher seja um ser inferior e o escravo, de todo em todo insignificante.

O segundo alvo é que sejam adequados. O caráter pode ser viril, mas não é apropriado ao de mulher ser viril ou terrível. O terceiro é a semelhança, [26] o que difere de figurar um caráter bom e adequado, no sentido em que o dissemos. O quarto é a constância; mesmo quando o modelo representado é inconstante e se figura tal caráter, ainda precisa ser constante na inconstância.

Um exemplo de baixeza de caráter desnecessária é o Menelau no *Orestes*; de caráter inadequado e impróprio, a lamentação de Odisseu na *Cila* e o discurso de Melanipe; de inconstante, a Ifigênia em *Áulis*, pois a suplicante nada se parece com a que vem depois.

É mister também, nos caracteres, como no arranjo das ações, buscar sempre o necessário ou o provável, de modo que seja necessário ou provável que tal personagem diga ou faça tais coisas e necessário ou provável que tal fato se siga a tal outro.

O desenredo das fábulas, é claro, deve decorrer da própria fábula e não, como na *Medéia*, dum mecanismo [27] e como, na *Ilíada*, [28] quando se discute o zarpar de volta; à intervenção divina se recorre para fatos fora do drama, quer anteriores, que um homem não possa saber, quer posteriores, que demandem predição e anúncio, pois aos deuses atribuímos o poder de tudo ver. Nas ações não pode haver nada de irracional, ou então, que se situe fora da tragédia, como no *Édipo* de Sófocles.

Visto ser a tragédia representação de seres melhores do que nós, devemos imitar os bons retratistas; estes reproduzem uma forma particular assemelhada com o original, mas pintam-na mais bela. Assim, ao poeta que imita personagens temperamentais ou fleumáticas, ou dotadas de outras feições semelhantes de caráter, cumpre fazê-las de boa cepa; por exemplo, o Aquiles de Agatão e o de Homero.

Essas são as normas de observar e além dessas as relativas às sensações que acompanham necessariamente a poética; com efeito,

---

26. Entenda-se semelhança com a tradição; o contrário seria chocante.

27. Medéia, após matar os filhos, evade-se no "carro do sol", um aparelho cênico.

28. A deusa Atena intervém para impedir os aqueus de embarcar de volta, desistindo da guerra de Tróia. *Ilíada,* II, 166 sgs.

também nesse domínio se cometem muitos enganos. Mas delas tratamos suficientemente nos estudos publicados.[29]

XVI

Dissemos atrás em que consiste o reconhecimento; das espécies de reconhecimento, a primeira é a menos artística e a ela mais comumente se recorre por incapacidade: o reconhecimento por meio de sinais. Desses, uns são congênitos, como a "lança que portam os Filhos da Terra",[30] ou "estrelas", quais emprega Cárcino no *Tiestes*; outros são adquiridos, e destes uns no corpo, tais como cicatrizes, outros fora, como os colares ou, como na *Tiro*, a cesta.

O emprego desses sinais pode ser melhor ou pior; por exemplo, Odisseu, graças à cicatriz, foi reconhecido dum modo pela nutriz,[31] doutro pelos porcariços;[32] com efeito, são menos artísticos os reconhecimentos obtidos por comprovação e todos os equivalentes; melhores os que vêm duma peripécia, como o da passagem do *Banho*.[33] Vêm em segundo lugar os reconhecimentos forjados pelo poeta e por isso não artísticos, por exemplo, na *Ifigênia*, quando Orestes revela que é Orestes; ela é reconhecida graças à carta, mas ele próprio diz o que o poeta deseja, não o que a fábula requer. Por isso, avizinha-se do referido defeito, pois bem podia trazer ele alguns sinais. Menciono também a "voz da lançadeira" no *Tereu*,[34] de Sófocles.

A terceira espécie é a do reconhecimento devido a uma lembrança, quando a vista de algum objeto causa sofrimento, como nos *Cíprios*, de Diceógenes, onde, ao ver o quadro, a personagem chora; igualmente no *Conto de Alcínoo*,[35] onde, ouvindo o citaredo, as recordações provocam lágrimas; graças a essas emoções é que foram reconhecidos.

---

29. Obras *exotéricas*, isto é, publicadas para circular fora do Liceu; as *esotéricas* se destinavam a uso interno, como a presente *Arte Poética*, sorte de apostila explicada em classe pelo mestre.

30. São os Espartas, nascidos dos dentes do dragão semeados por Cadmo.

31. *Odisséia*, XIX. 392: descobrimento graças à cicatriz.

32. *Odisséia*, XXI. 207: o próprio Odisseu declara quem é.

33. *Odisséia*, XIX. 391 e sgs.

34. Filomela, cuja língua Tereu cortara, revela a Procne, sua irmã, a violência sofrida, tecendo o recado num tapete. Veja-se Ovídio, *Metamorfoses*, VI, 576.

35. *Odisséia*, VIII, 521 e sgs.

A quarta é a que utiliza um silogismo, como nas *Coéforas*:[36] chegou alquém parecido comigo; ninguém se parece comigo senão Orestes; portanto, foi ele quem chegou. Lembro também o reconhecimento usado por Poliido, o sofista, no caso de Ifigênia; é natural a reflexão de Orestes, de que não só foi imolada a irmã, mas o mesmo acontece a ele. Também, no *Tideu*, de Teodectes, diz o herói que, tendo vindo com esperança de achar o filho, vem a perecer ele próprio. E nas *Fineidas*: ao verem o lugar, as mulheres inferem qual o seu destino, o de morrerem ali, pois ali tinham sido expostas.

Há também um reconhecimento construído num paralogismo dos espectadores, como no *Odisseu Falso Mensageiro*;[37] ele e ninguém mais armar o arco é invenção do poeta, pura suposição; mesmo se declarasse que reconheceria o arco, sem o ter visto; mas imaginar que se daria a reconhecer por esse meio é um paralogismo.

O melhor de todos os reconhecimentos é o decorrente das ações mesmas, produzindo-se a surpresa por meio de sucessos plausíveis, por exemplo, no *Édipo*[38] de Sófocles e na *Ifigênia*,[39] pois é plausível querer ela confiar uma carta. Somente esses, com efeito, dispensam artifícios, sinais e colares. Em segundo lugar, os surgidos dum silogismo.

XVII

Quando se está construindo e enformando a fábula com o texto, é preciso ter a cena o mais possível diante dos olhos; vendo, assim, as ações com a máxima clareza, como se assistisse ao seu desenrolar, o poeta pode descobrir o que convém, passando despercebido o menor número possível de contradições. Prova-o a censura que se fazia a Cárcino; o seu Anfiarau assomava do templo; como o espectador não via este, não percebia esse pormenor; a falha desagradou à platéia e causou o malogro da peça.

É preciso também, quanto possível, reforçar o efeito por meio das atitudes. Com efeito, por terem a mesma natureza que nós, são

---

36. De Ésquilo. O silogismo é de Electra.

37. Tragédia desconhecida, inspirada sem dúvida no canto XXI da *Odisséia*.

38. Édipo investiga o assassínio de Laio, seu pai, e acaba descobrindo ser ele próprio o assassino.

39. Ifigênia confia a Pílades uma carta, que ele entrega ao destinatário Orestes, ali presente, declarando a sua identidade.

muito convincentes as pessoas tomadas de emoção; com a maior veracidade tempestua quem está tempestuoso e raivece quem encolerizado; por isso, a arte poética pertence ao talentoso ou ao inspirado; no primeiro caso estão os que facilmente se amoldam; no segundo, os fora de si.

As fábulas, quer tradicionais, quer inventadas, cabe ao poeta mesmo esboçá-las em linhas gerais e depois dividi-las em episódios e desenvolvê-las. Entendo que se pode ter uma visão das linhas gerais, por exemplo, da *Ifigênia*, assim: certa donzela, imolada, desapareceu sem que o notassem os oficiantes; instalada noutro país, onde era costume sacrificar à deusa os estrangeiros, desempenhou esse sacerdócio. Passados anos, aconteceu que ali chegou o irmão da sacerdotisa. O ter o deus prescrito, por alguma razão, que lá fosse ter e o propósito da viagem [40] ficam fora da fábula. Chegado, é preso e, prestes a ser imolado, dá-se a conhecer, quer como concebeu Eurípides, quer como Poliido, plausivelmente observando que não só fora imolada sua irmã, mas também ele tinha de ser e veio daí a salvação. Após isso, é dar nomes às personagens e dividir os episódios, sem descuidar de que estes sejam apropriados, como, em Orestes, a loucura, causa de ser preso, e o salvamento pelo expediente da purificação.

Os episódios são breves nos dramas, mas por meio deles é que se alonga a epopéia. A fábula da *Odisséia* não é longa: um homem passa longos anos no exterior, impedido por Posidão de voltar, e está só; ademais, a situação em sua casa é tal que pretendentes [41] lhe consomem as riquezas e ameaçam a vida do filho; ele chega maltratado das intempéries, revela a alguns quem é, ataca, salva-se e extermina os inimigos. Aí está o essencial; o mais são episódios.

XVIII

Toda tragédia tem um enredo e um desfecho; fatos passados fora da peça e alguns ocorridos dentro constituem de ordinário o enredo; o restante é o desfecho. Entendo por enredo o que vai do início até aquela parte que é a última antes da mudança para a ventura ou desdita, e por desfecho o que vai do começo da mudança até o final; assim, no *Linceu* de Teodectes, enredo são os fatos anteriores mais o

---

40. Roubar e levar para Atenas a imagem da deusa Ártemis.
41. Pretendentes à mão de Penélope, suposta viúva.

rapto da criança... (*lacuna no texto*) desde a acusação de assassínio até o final.

Existem quatro tipos de tragédias: a complexa, formada toda de peripécia e reconhecimento; a patética, por exemplo, as de *Ájax* e as de *Ixíon*; a de caráter, como as *Ftiótidas* e *Peleu*; as de monstros, como as *Fórcidas*, o *Prometeu* e todas as desenroladas no Hades.[42]

Deve-se principalmente tentar abranger todos os tipos, ou, pelo menos, os mais importantes e em maior número, sobretudo levando em conta as aleivosias modernamente assacadas aos poetas; como houve poetas que sobressaíam neste ou naquele, pretende-se que cada qual sobrepuje quem mais se distinguiu em cada um.

Para dizer com acerto se uma tragédia é a mesma ou uma outra, nada importa tanto como a fábula. É a mesma, quando tem o mesmo enredo e desfecho. Muitos enredam bem, mas desenredam mal; cumpre dominar bem uma e outra parte.

É preciso, como dissemos muitas vezes, lembrar-se de não dar à tragédia uma estrutura épica; chamo épica uma multiplicidade de fábulas, por exemplo, compor uma com toda a fabulação da *Ilíada*. Ali, graças à extensão, as partes recebem todo o desenvolvimento adequado; ao invés, nos dramas elas acabam muito aquém da concepção. Prova é que quantos escrevem o assolamento de Tróia por inteiro e não, como fez Eurípides, por partes, ou toda a estória de Níobe, e não como Ésquilo, ou se frustram na encenação, ou se classificam mal nos concursos, pois foi essa a causa única do malogro de Agatão.

É, porém, nas peripécias e nas ações singelas que os poetas acertam admiravelmente no alvo, que é obter a emoção trágica e os sentimentos de humanidade. Isso se dá quando o herói hábil, porém mau, sai logrado, como Sísifo, e o valente, porém iníquo, sai vencido. Tal desfecho é verossímil, no dizer de Agatão, pois é verossímil que aconteçam muitas coisas inverossímeis.

O coro também deve ser contado como uma das personagens, integrada no conjunto e participando da ação, não à maneira de Eurípides, mas à de Sófocles. Na maioria dos poetas, as partes cantantes não pertencem à fábula mais do que a uma outra tragédia; por isso, o coro canta interlúdios, adotados a partir de Agatão. Ora, que dife-

---

42. Lugar para onde vão as almas dos mortos.

rença vai de cantar interlúdios a transportar duma outra peça uma longa fala ou um episódio inteiro?

XIX

Dos outros componentes já tratamos; resta-nos falar da linguagem e das idéias. Deixemos aos tratados de Retórica, por ser mais próprio dêsse ramo, o que concerne às idéias. É matéria das idéias tudo quanto se deve deparar por meio da palavra. Divide-se em demonstrar, refutar, suscitar emoções quais compaixão, temor, cólera e todas as congêneres, e ainda exagerar e atenuar.

Evidentemente, devem ser usadas as ações segundo os mesmos princípios, quando for preciso produzir os efeitos de pena, temor, exagero ou naturalidade. Toda a diferença está em que uns efeitos se devem manifestar independentemente de didascália, ao passo que outros, dependentes do texto, têm de ser produzidos pelo intérprete em sua fala. Realmente, qual a função do intérprete, se o efeito desejado se manifestasse mesmo sem recurso à palavra?

No tocante à linguagem, um aspecto sob o qual ela pode ser estudada é o da sua variedade; conhecê-la compete ao ator e ao especialista dessa matéria, por exemplo, o que é uma ordem, um pedido, um relato, uma ameaça, uma pergunta, uma resposta e quejandos.

Como base no conhecimento ou na ignorância dessas diferenças, não atinge a arte poética nenhuma pecha que se tome em consideração. Pois quem admitirá em Homero o erro, vituperado por Protágoras, de dar uma ordem querendo pedir, quando diz: "Canta-me, deusa, a cólera"...? Dizer que faça ou não faça alguma coisa, alega ele, é dar uma ordem. Por isso, fique de lado, como objeto doutra arte que não a poética.

XX

Compõem o todo da linguagem as seguintes partes: letra, sílaba, conetivo, articulação, nome, verbo, flexão, frase.[43]

Letra é um som indivisível: não qualquer, mas um de que se produz naturalmente uma fala inteligível. Com efeito, também os brutos emitem sons indivisíveis, a nenhum dos quais chamo letra.

---

43. É dispensável a leitura deste capítulo que, como parte do seguinte, só diz respeito à língua grega. Ademais, chegado até nós em mau estado, tem pouco que ver com a arte poética.

Divide-se a letra em vogal, semivogal e muda. Letra vogal é aquela que, sem obstáculo,[44] tem som audível; semivogal é aquela que, com obstáculo, tem som audível, por exemplo, o S e o R; muda, aquela que, além de ter obstáculo, por si mesma não tem som algum, mas acompanhada de alguma das que têm som, se torna audível; por exemplo, o G e o D.

Essas letras diferem conforme o arranjo da boca e o lugar, aspiração ou ausência desta, segundo sejam longas ou breves e, ainda, agudas, graves ou intermédias; aos tratados de Métrica compete o estudo de cada uma dessas variedades.

Sílaba é um som sem significado, composto de letra muda mais uma com som; com efeito, o grupo GR sem o A, tanto quanto com o A, em GRA, é uma sílaba. Compete, porém, igualmente à Métrica estudar essas diferenças.

O conetivo é um som sem significado, que não impede nem ocasiona a constituição duma voz significativa, formada de várias letras, à qual não quadra situar-se independentemente no começo duma frase, por exemplo μέν δή τοί δέ, ou um som sem significado, capaz de formar, de várias vozes cada qual com um sentido, uma voz una significativa, por exemplo: ἀμφί, περί.

Articulação é um som sem significado que assinala o início, ou o fim, ou a divisão duma sentença, cuja posição natural é tanto nos extremos como no meio.

Nome é um som composto significativo, sem referência a tempo, do qual nenhuma parte é de si significativa, pois nas composições de dois elementos não os empregamos como tendo cada um o seu sentido; por exemplo, *-doro*, em *Teodoro*, nada significa.

Verbo é um som composto, com significado, com referência de tempo, do qual nenhuma parte tem sentido próprio, como no caso dos nomes; com efeito, *homem*, ou *branco*, não dão idéia de *quando*, mas *anda*, ou *andou*, trazem de acréscimo, um a idéia do tempo presente, o outro, a do passado.

Flexão é acidente do nome ou do verbo, que ou significa *de* ou *a* e relações que tais, ou dá a idéia de *um* ou *muitos*, por exemplo, *homens* ou *homem*, ou, com a inflexão do ator, uma pergunta, ou

---

44. O termo grego não significa exatamente *obstáculo*, mas parece significar os movimentos da língua e dos lábios na articulação de semivogais e consoantes, com obstrução total ou parcial da passagem do ar na fonação.

uma ordem; com efeito, as vozes *caminhou?* ou *caminha*, são flexões dum verbo segundo esses aspectos.

Frase é uma composição de sons significativa, algumas partes da qual significam de per si alguma coisa (pois nem toda frase é composta de verbos e nomes, por exemplo a definição de *homem*; dão-se frases sem verbo, mas sempre terão alguma parte com significado); por exemplo, *Cleão*, em *Cleão caminha.*

De duas maneiras a frase é una: designando ou um fato isolado, ou um conjunto de fatos ligados. A *Ilíada*, por exemplo, é una em virtude de ligação; a definição de *homem* é una por significar só uma coisa.

XXI

Os nomes pertencem a dois tipos: os simples (chamo simples os resultantes de partes desprovidas de significado, por exemplo, *terra*) e os duplos; destes, uns procedem dum elemento que, embora tenha sentido, não o tem no composto, unido a outro que não tem sentido; outros provêm da união de elementos com significado. Pode haver também nomes triplos, quádruplos e até múltiplos, como tantos dentre os nomes longitroantes: *Hermocaïcoxantos*...[45]

Todo nome ou é corrente, ou raro, ou metafórico, ou ornamental, ou forjado, ou alongado, ou encurtado, ou modificado.

Por corrente entendo o empregado por todos; raro, o usado por alguns; assim, é claro, o mesmo nome pode ser corrente ou raro, não, porém, para as mesmas pessoas; por exemplo, σίγυνον é corrente em Chipre e raro entre nós.

Metáfora é a transferência dum nome alheio do gênero para a espécie, da espécie para o gênero, duma espécie para outra, ou por via de analogia. Do gênero para a espécie significa, por exemplo, "Meu barco está parado ali", porque *fundear* é uma espécie de *parar*; da espécie para o gênero: "Palavra! Odisseu praticou milhares de belas ações!", porque *milhares* equivale a *muitas* e aqui foi empregado em lugar de *muitas*; duma espécie para outra, por exemplo: "Extraiu a vida com o bronze" e "talhou com o incansável bronze"; nesses exemplos *extrair* está por *talhar* e *talhar* por *extrair,* pois ambos querem dizer *tirar.*

Digo que há metáfora por analogia quando o segundo termo está para o primeiro como o quarto para o terceiro; o poeta empregará o

45. Palavra fictícia, formada dos nomes de três rios.

quarto em lugar do segundo, ou o segundo em lugar do quarto; às vezes se acrescenta ao termo substituto aquele com que se relaciona o substituído. Refiro-me a analogias como a seguinte: o que a taça é para Dioniso o escudo é para Ares; assim, o poeta dirá da taça que é o *escudo de Dioniso* e, do escudo, que é a *taça de Ares*. Ou então: a velhice está para a vida como a tarde para o dia; chamará, pois, à tarde *velhice do dia*, e à velhice, *tarde da vida*, como fez Empédocles, ou *ocaso da vida*. Às vezes não existe palavra assentada para um dos termos da analogia; nem por isso deixará de se empregar o símile; por exemplo, diz-se *semear* o esparzir a semente, mas para o esparzir o sol a sua chama não há termo próprio; mas isso está para o sol como o semear para a semente; por isso se disse: "semeando a chama pelos deuses criada." Além desse modo de empregar a metáfora, existe outro, quando, após usar o termo alheio, se negar algo que lhe é próprio, como se ao escudo se chamasse *taça*, não *de Ares*, mas *sem vinho*.

Forjado é o nome ainda absolutamente não usado por ninguém, a que o poeta mesmo dá curso; parece esse o caso de alguns termos como *galhos* por *cornos* e *oficiante* por *sacerdote*.

O nome é alongado ou encurtado; alongado, quando usada mais longa do que normalmente uma vogal, ou quando enxertada uma sílaba; encurtado, se lhe for tirada alguma coisa. Exemplo de alongado: πόληος em lugar de πόλεως e Πηληιάδεω em lugar de Πηλείδου; de encurtado κρί e δῶ e μία γίνεται ἀμφοτέρων ὄψ.

O nome é modificado quando, da forma corrente, parte se deixa ficar e parte se inventa como δεξιτερὸν κατὰ μαζόν em vez de δεξιόν.

Dos nomes em si mesmos, uns são masculinos, outros femininos, outros neutros. Masculinos são todos os terminados em N, R e S e sons compostos deste (são dois: *psi* e *csi*); femininos, os que terminam pelas vogais sempre longas, como *eta* e *ômega*, ou pela vogal *alfa* alongada. Assim, é igual o número de terminações masculinas ao de femininas, porque *psi* e *csi* se reduzem a S. Nenhum nome termina em mudas, nem em vogal breve. Em *iota*, só três: μέλι, κόμμι, πέπερι. Em Y, cinco; os neutros terminam nessas letras e também em N e S.

XXII

A excelência da linguagem consiste em ser clara sem ser chã. A mais clara é a regida em termos correntes, mas é chã; por exemplo, a poesia de Cleofonte e a de Estênelo. Nobre e distinta do vulgar é a que emprega termos surpreendentes. Entendo por surpreendentes o termo raro, a metáfora, o alongamento e tudo que foge ao trivial. Mas, quando toda a composição se faz em termos tais, resulta um enigma, ou um barbarismo; a linguagem feita de metáforas dá em enigma; a de termos raros, em barbarismo; a essência do enigma consiste em falar de coisas reais associando termos inconciliáveis; isso não é possível com a combinação de palavras próprias, mas é admissível com a metáfora; por exemplo, *"vi um homem colando bronze num outro por meio do fogo"* [46] e outras adivinhas que tais. Dos termos raros resulta barbarismo. É necessário, portanto, como que fundir esses processos; tirarão à linguagem o caráter vulgar e chão, por exemplo, a metáfora, o adorno e demais espécies referidas; o termo corrente, doutro lado, lhe dará clareza.

Trazem não mesquinha contribuição a uma linguagem clara e invulgar os alongamentos, encurtamentos e modificações das palavras; o aspecto diferente do usual, afastado do cotidiano, dar-lhe-á distinção, mas a participação do usual deparará clareza. Assim, não assiste razão aos que censuram essa maneira de ser do estilo e metem a riso, em cena, o poeta, como fez Euclides, o Antigo, dizendo ser fácil versejar quando é dado alongar sílabas à vontade. [47] Ele satirizou o procedimento com uma paródia:

Ἐπιχάρην εἶδον Μαραθῶνάδε βαδίζοντα

e

οὐκ ἄν γ'ἐράμενος τὸν ἐκείνου ἐλλέβορον.

Ora, é ridículo, sim, dar na vista pelo uso dessa facilidade, mas moderação se espera em todos os aspectos da linguagem; quem usasse, fora de propósito, metáforas, termos raros e demais adornos, obteria o mesmo efeito que se o fizesse visando ao cômico.

Que diferença faz nas epopéias o seu uso adequado, verifique-se introduzindo no verso os termos ordinários. Substituindo os termos raros, as metáforas etc. pelas palavras correntes, pode-se ver que dizemos a verdade. Ésquilo e Eurípides compuseram o mesmo verso jâmbico, com a mudança apenas duma palavra de uso corrente por outra rara; o verso de um parece-nos belo e o do outro, vulgar. Dissera, com efeito, Ésquilo no *Filoctetes*: "úlcera que come as carnes de meu pé". Eurípides usou *repastar-se* em lugar de *comer*. Também se,

46. Solução da adivinha: aplicação duma ventosa.

47. Liberdade poética, comparável à sístole e diástole.

no verso [48] que diz "foi um baixote, ordinário e feio", se dissesse, com os termos triviais, "um pequeno, fraco e feio". Igualmente, "pondo-lhe um banco humilde e uma mesa acanhada" [49] e "pondo-lhe um banco ordinário e uma mesa pequena". Assim também "bramam as falésias" e "gritam as falésias". [50]

Outrossim, Arífrades, em cena, metia à bulha os trágicos por usarem construções que ninguém empregaria na conversação, por exemplo δωμάτων ἀπο em vez de ἀπὸ δωμάτων e mais σέθεν, ἐγὼ δέ *νιν* e 'Αχιλλέως πέρι em vez de περὶ 'Αχιλλέως etc. Todas as expressões dessa natureza, por não pertencerem ao uso corrente, comunicam distinção à linguagem e isso ele não compreendia.

É importante o uso criterioso de cada um dos citados recursos, dos nomes duplos, bem como dos raros, mas muito mais a fertilidade em metáforas. Unicamente isso não se pode aprender de outrem e é sinal de talento natural, pois ser capaz de belas metáforas é ser capaz de apreender as semelhanças.

Dos vocábulos, os duplos são os mais apropriados aos ditirambos; os raros, aos poemas heróicos; as metáforas, aos jâmbicos. Aliás, todos esses podem ser empregados nos heróicos; já nos jâmbicos, que imitam a fala antes de tudo, os termos apropriados são os que se usariam na conversação, a saber: termos correntes, metáforas e ornamentos.

A respeito das tragédias e imitação de ações, basta o que temos dito.

XXIII

No tocante à imitação narrativa metrificada, [51] evidentemente, devem-se compor as fábulas, tal como nas tragédias, em forma dramática, em torno duma só ação inteira e completa, com início, meio e fim, para que, como um vivente uno e inteiro, produza o prazer peculiar seu; não sejam os arranjos como o das narrativas históricas, onde necessariamente se mostra, não uma ação única, senão um espaço de tempo, contando tudo quanto nele ocorreu a uma ou mais pessoas, ligado cada fato aos demais por um nexo apenas fortuito.

---

48. *Odisséia,* IX, 515.

49. *Odisséia,* XX, 259.

50. *Ilíada,* XVII, 265.

51. Definição da epopéia.

Com efeito, assim como se deram na mesma ocasião a batalha naval de Salamina e o combate dos cartagineses na Sicília, sem visarem a nenhum objetivo comum, assim também às vezes, na seqüência dos tempos, um fato vem após outro, sem que deles ocorra nenhum fim único. Todavia, quase todos os poetas incidem nesse erro.

Por isso também sob esse aspecto Homero em confronto com os outros, como já dissemos, parece inspirado; ele não tentou narrar a guerra inteira, embora ela tenha tido um começo e um fim; a fabulação seria excessivamente longa para ser abrangida numa visão única, ou, se moderada a extensão, a variedade de incidentes a complicaria. Ele, porém, tomou apenas uma parte e lançou mão de muitos episódios, que distribuiu em seu poema, entre outros, o *Catálogo dos Navios.* [52]

Em geral, porém, os poetas compõem em torno dum só herói ou um só tempo, ou duma só ação de muitas partes, como o autor dos *Cantos Cíprios* e o da *Pequena Ilíada.* Assim é que, da *Ilíada* e da *Odisséia* se faz, de cada uma, uma única tragédia, ou duas apenas, ao passo que muitas se fizeram dos *Cantos Cíprios* e mais de oito da *Pequena Ilíada*, por exemplo: *O Julgamento das Armas, Filoctetes, Neoptólemo, Eurípilo, Mendicância, As Lacedemônias, O Saque de Tróia e Regresso, Sinão* e *As Troianas.*

XXIV

Outrossim, a Epopéia deve ter as mesmas espécies que a tragédia: simples, complexa, de caráter ou patética. Seus componentes, fora a melopéia e o espetáculo, são os mesmos; ela requer, com efeito, peripécias, reconhecimentos e desgraças; ademais, os pensamentos e a linguagem precisam ser excelentes. De todos esses componentes usou Homero pela primeira vez e cabalmente. Realmente, dos dois poemas, ele compôs simples e patética, a *Ilíada*; complexa, toda de reconhecimentos e de caráter, a *Odisséia.* Além disso, superou a todos na linguagem e nas idéias.

A epopéia difere da tragédia na extensão da composição e no metro. Da extensão bastará o limite já referido; é preciso que se possa ter uma visão global do começo e do fim. Isso aconteceria, se as composições, dum lado, fossem mais curtas que as de outrora e, doutro, se aproximassem da duração total das tragédias encenadas numa

---

52. Parte do canto II da *Ilíada.*

única audição. Para alongamento da extensão, a epopéia goza duma vantagem especial: enquanto na tragédia não cabe representar muitas partes como realizadas ao mesmo tempo, senão apenas a parte em cena, que os atores estão desempenhando, na epopéia, por se tratar duma narrativa, é possível representar muitas partes como simultâneas; sendo pertinentes essas partes, engrossa-se o volume do poema. Isso contribui para a opulência; bem assim, a variedade e a diversificação dos episódios, pois a monotonia não tarda a entediar a platéia e acarretar o malogro das tragédias.

De acordo com a experiência, o metro que se ajusta é o heróico. Se, com efeito, alguém compusesse uma imitação narrativa em qualquer outro ou em vários metros, a inadequação seria flagrante; o heróico é dos metros o mais pausado e amplo; por isso, abriga melhor os termos raros e as metáforas; a imitação narrativa é, assim, mais esmerada que as outras. O verso jâmbico e o tetrâmetro são movimentados, próprios o primeiro para a dança, o segundo para a ação. Outrossim, mais descabido seria misturá-los, como Querêmon. Por isso, em composições longas, ninguém emprega outro verso, senão o heróico, mas, como dissemos, a natureza mesma ensina a escolher o conveniente.

Homero, merecedor de louvores por tantos outros títulos, é, ainda, o único poeta que não ignora o que deve fazer em seu próprio nome. O poeta deve falar em seu nome o menos possível, pois não é nesse sentido que é um imitador. Os outros representam um papel pessoal de extremo a extremo, imitando pouco e poucas vezes, enquanto ele, após breve preâmbulo, introduz logo um homem, uma mulher ou alguma outra figura, nenhuma despersonalizada, todas com o seu caráter.

Nas tragédias se deve, por certo, criar o maravilhoso, mas o irracional, fonte principal do maravilhoso, tem mais cabida na epopéia, porque não estamos vendo o ator; haja vista a perseguição de Heitor; em cena, daria em cômico, com os gregos parados, sem ir no encalço, e Aquiles a acenar que não; na epopéia isso passa despercebido. O maravilhoso agrada; prova está que todos o acrescentam às suas narrativas com o fito de agradar.

Foi sobretudo Homero quem ensinou aos outros poetas a maneira certa de iludir, isto é, de induzir ao paralogismo. Quando, havendo isto, há também aquilo, ou, acontecendo uma coisa, outra acontece também, as pessoas imaginam que, existindo a segunda, a primeira também existe ou acontece, mas é engano. Por isso, se um primeiro fato é falso, mas, existindo ele, um segundo tem de existir ou produzir-se necessariamente, cabe acrescentar este, porque, sabendo-o real, nossa mente, iludida, deduz que o primeiro também o é. Exemplo disso é a passagem do *Banho.* [53]

Quando plausível, o impossível se deve preferir a um possível que não convença. As fábulas não se devem compor de partes irracionais; tanto quanto possível, não deve haver nelas nada de absurdo, ou então que se situe fora do enredo, como o ignorar Édipo as circunstâncias da morte de Laio, e não na ação, como, por exemplo, na *Electra,* as personagens que descrevem os jogos píticos, ou, nos *Mísios,* aquela que chegou de Tégea à Mísia e nada diz. Assim, ridículo é alegar que aliás se destruiria a fábula, pois, de início, estória desse tipo não merece ser composta; quando, porém, o poeta assim a faz e ela parece mais verossímil, é aceitável, apesar do insólito; se não, mesmo na *Odisséia,* evidentemente não seria de tolerar o que há de irracional no desembarque, [54] se o houvesse escrito um autor de inferior categoria; o Poeta, porém, deleitando-nos com os outros encantos, escamoteia-nos a absurdeza.

É nas passagens sem ação, caráter ou idéia, que importa esmerar a linguagem, pois um estilo demasiado brilhante ofusca os caracteres e os pensamentos.

XXV

Quanto às objeções e sua solução, ao número e natureza de suas espécies, podem esclarecer-nos as seguintes considerações. Imitador, como o pintor ou qualquer outro artista plástico, o poeta necessariamente imita sempre por uma de três maneiras: ou reproduz os originais tais como eram ou são, ou como os dizem e eles parecem, ou como deviam ser. Isso se exprime numa linguagem em que há termos raros, metáforas e muita modificação de palavras, pois consentimos isso aos poetas.

Ademais, correção não significa o mesmo na atuação social e na poética, nem em artes outras que a da poesia. O erro na poética mesma se dá de duas maneiras: erro de arte e erro acidental. Se o poeta resolver imitar um original e não o imitar corretamente por incapacidade, o erro é de arte; mas se errou na concepção do original e pintou um cavalo com ambas as patas dianteiras avançadas, ou se enganou

---

53. *Odisséia,* XIX, 215. Se o hóspede viu Odisseu, sabe como estava vestido; se sabe como estava vestido, é porque o viu. O hóspede, porém, era o próprio Odisseu.

54. *Odisséia,* XIII, 116. Os feácios depõem Odisseu e sua bagagem na costa de Ítaca, sem que ele desperte.

em algum ramo das ciências, como a medicina ou alguma outra, ou criou algo impossível, o erro não é de arte.

É, pois, mister ter isso em vista quando se responde às censuras contidas nas críticas. Para começar no que tange à arte mesma, se o poema encerra impossíveis, houve erro; mas isso passa, se alcança o fim próprio da poesia (o fim, com efeito, já foi explicado) e assim torna mais viva a impressão causada por essa ou por outra parte do poema. Exemplo disso é a *Perseguição de Heitor.*[55] Se, todavia, o objetivo pode ser atingido melhor ou tão bem sem contrariar a ciência respectiva, não está bem errar, porquanto, se possível, não se deve cometer erro algum.

Outra questão é a categoria do erro, conforme fira os princípios da arte, ou de outro domínio. Com efeito, ignorar que a corça não tem galhos é erro menos grave do que pintá-la numa figura irreconhecível. Além disso, se a censura é de que não se representam os originais quais são, quiçá os tenham figurado quais deviam ser. Sófocles, por exemplo, dizia que ele representava as pessoas como deviam ser e Eurípides, como eram. Essa a solução; se, porém, nem como são, nem como deviam ser, a solução é que "assim consta"; por exemplo, no que toca aos deuses. Talvez não os façam melhores, nem como são na realidade, mas como ocorreu a Xenófanes: "é como dizem". Às vezes, quiçá não tenha havido melhora e sim representou-se como costumava ser; por exemplo, no caso das armas, "lanças a prumo, conto fincado no chão", por esse era o costume do tempo, como ainda hoje na Ilíria.

Para examinar se alguma personagem disse ou fez alguma coisa bem ou não, devemos não só considerar se é nobre ou vil em si o ato ou palavra, mas também levar em conta a personagem que age ou fala, a quem o faz, quando, por quem ou para que; por exemplo, a fim de deparar um benefício maior, ou prevenir maior malefício.

Algumas objeções se têm de rebater de olhos no texto, como por exemplo, pelo termo raro em οὐρῆας μὲν πρῶτον, onde talvez o poeta não se refira às alimárias, mas aos guardas, e quando diz de Dolão ὅς ρ ἦ τοι εἶδος μὲν ἔην κακός, não por ter corpo mal proporcionado, mas por ter feições feias, porque quando os cretenses dizem *formoso*, referem-se à beleza do rosto. Também em ζωρότερον δὲ κέραιε não quer dizer que sirva vinho "não temperado", como para beberrões, mas sim "mais depressa".

55. V. cap. XXIV.

Noutro lugar se empregou metáfora; por exemplo, o poeta diz [56] "todos os deuses e homens dormiram a noite toda" e, ao mesmo tempo, "quando observa o campo troiano, o concerto das flautas e gaitas de Pã". É que diz *todos* em lugar de *muitos* por metáfora, pois *todos* é uma espécie de *muitos*. É também metáfora "só ela não participa", pois o que é o mais conhecido é único.

Também se resolvem dificuldades pela entonação, como Hípias de Tasos explicava as passagens δίδομεν δέ οἱ . . . e τὸ μὲν οὗ καταπύθεται ὀμβρῳ. Algumas, por uma pausa, como Empédocles: "Sem demora se tornaram mortais as coisas antes imortais, e as puras antes se misturaram." Outras, pela ambigüidade: παρῴχηκεν δὲ πλέω νύξ pois que πλέω é termo ambíguo. Outras, pelos hábitos da língua; chamam *vinho* às bebidas diluídas e por isso se disse que Ganimedes servia vinho a Zeus, quando os deuses não bebem vinho; também aos que trabalham o ferro se dava o nome de bronzistas; daí ter dito o poeta "greva de estanho recentemente forjado"; esse exemplo, porém, podia igualmente constituir metáfora.

Quando uma expressão parece envolver uma contradição em seus termos, é mister averiguar quantos sentidos ela pode ter no texto; por exemplo, em "a lança de bronze foi detida por esta", [57] cumpre verificar de quantas maneiras é admissível que a lança fosse detida por aquela chapa. É essa a melhor maneira de interpretar, ao inverso do método de alguns críticos que, como diz Glaucão, partindo irracionalmente dum juízo formado, raciocinam depois de sentenciar e condenam o autor por ter dito o que imaginam eles, se for de encontro à presunção deles. É o que se deu com relação a Icário. [58] Presumem-no lacedemônio e estranham não o tenha encontrado Telêmaco quando foi à Lacedemônia. Mas talvez estejam certos os cefalênios, ao dizerem que Odisseu casou em sua terra e não se trata de Icário, mas de Icádio. Essa objeção talvez se deva a um erro.

De modo geral, o impossível se deve reportar ao efeito poético, à melhoria, ou à opinião comum. Do ângulo da poesia, um impossível convincente é preferível a um possível que não convença. A existência de homens quais pintava Zêuxis talvez seja impossível, mas seria melhor, pois o modelo deve sobrexceler. As absurdezas devem-se reportar à tradição; assim, também se dirá, por vezes, que não se trata

---

56. *Ilíada*, X, 1, 2 e 11, 13.

57. *Ilíada*, IX, 272.

58. Sogro de Odisseu.

dum absurdo, pois é verossímil que algo aconteça contra a verossimilhança.

Devem-se examinar as contradições como nas refutações dialéticas: se o poeta, tratando do mesmo objeto, nas mesmas relações e no mesmo sentido, contradiz as suas próprias palavras, ou aquilo que uma pessoa inteligente supõe.

É, porém, justa a crítica a um absurdo ou maldade, quando, desnecessariamente ele usar seja do absurdo, como Eurípides usou de Egeu,[59] seja de maldade, como a de Menelau,[60] no *Orestes.*

Assim, pois, fazem-se críticas sob cinco capítulos: impossibilidade, irracionalidade, maldade, contradição e violação das regras da arte; as soluções se hão de procurar nos itens atrás desenvolvidos, que são doze.

XXVI

Pode alguém ficar em dúvida sobre qual a melhor imitação, se a épica, se a trágica. Com efeito, se a menos vulgar é a melhor e tal é a que visa a um público melhor, é por demais evidente ser vulgar a que imita tendo em vista a multidão. Por sinal, os atores cuidam que a platéia não compreende sem que eles aumentem a carga e por isso se desmancham em gesticulação; por exemplo, os flauteiros ordinários, que se contorcem para sugerir o lançamento do disco e arrastam o corifeu quando tocam a *Cila.*

Tal é, portanto, a tragédia, quais julgavam os atores de antanho aos que os sucederam. Como Calípides[61] se excedia, Minisco[62] chamava-lhe macaco e opinião semelhante se fazia de Píndaro.[63] A mesma relação existente entre os atores se verifica entre toda sua arte e a epopéia. Esta, de fato, alegam, destina-se a espectadores distintos,

---

59. Na *Medéia,* Egeu, passando *casualmente* pelo lugar, e não em *decorrência da ação mesma* da tragédia, oferece acolhida em Atenas a Medéia, que foge de Corinto.

60. Na opinião de Aristóteles, Eurípides em *Orestes,* exagerou demasiada e desnecessariamente a baixeza de caráter de Menelau.

61. Intérprete de Sófocles e causador involuntário de sua morte, por lhe ter enviado as uvas com que o poeta nonagenário engasgou.

62. Intérprete de Ésquilo.

63. Ator desconhecido, que não deve ser confundido com o célebre poeta homônimo.

que dispensam a representação, enquanto a tragédia é para uma platéia somenos. E se é ordinária, evidentemente será inferior.

Em primeiro lugar, a censura não atinge a arte do poeta, senão à dos atores; despropósitos nos gestos são possíveis não só na récita dum rapsodo, qual é Sosístrato, como também num concurso de canto, como fazia Mnasíteo de Opunte. Depois, nem toda gesticulação é condenável, se tampouco o é a dança, mas sim a dos atores medíocres; essa censura se fazia a Calípides e agora a outros, a de imitarem mulheres de condição inferior.

Outrossim, mesmo sem gesticulação, a tragédia produz o efeito próprio, tal como a epopéia, pois basta a leitura para evidenciar a sua qualidade. Se, pois, ela é superior nos demais requisitos, não é indispensável que conte mais esse. E ela o é, por ter todos os méritos da epopéia (pois pode valer-se também do hexâmetro), e mais a música e o espetáculo, partes de não mesquinha importância, por meio das quais o prazer se efetua com muita viveza. Ademais, tem viveza quer quando lida, quer quando encenada.

Tem, ainda, o mérito de atingir o fim da imitação numa extensão menor, pois maior condensação agrada mais do que longa diluição; quero dizer, por exemplo, se o *Édipo* de Sófocles fosse passado para tantos versos quantos conta a *Ilíada*. Também é menos una a imitação das epopéias (uma prova: de qualquer delas se extraem várias tragédias), de sorte que, se os autores a compõem sobre uma só fábula, esta se afigura, numa narrativa curta, mirrada; estirada para atingir extensão, aguada. Digo, por exemplo, se for composta de várias ações, como a *Ilíada*, que tem muitas partes assim, tal qual a *Odisséia*, partes que, por sua vez, têm extensão; não obstante, esses poemas estão compostos com a maior perfeição e são, tanto quanto possível, imitações duma ação única.

Se, pois, ela sobreleva por todos esses méritos e ainda pela eficiência técnica — pois lhe incumbe produzir, não um prazer qualquer, mas o atrás mencionado — está claro que, atingindo melhor o seu fim, é superior à epopéia.

A respeito, pois, da tragédia e da epopéia em si mesmas, de suas espécies e elementos, de quantos são estes e em que diferem, das causas de seu bom ou mau êxito, das críticas e suas soluções, basta o que dissemos.

Horácio

ARTE POÉTICA

Epistula ad Pisones

Bibliografia:

Epistula ad Pisones, de Horácio, nas seguintes edições:

1. Scriptorum Classicorum Bibliotheca Oxoniensis, Q. Horati Flacci opera; recognovit Eduardus C. Wickman, editio altera, Oxford, Clarendon, 1967.
2. Soc. d'Édition "Les Belles Lettres", Horace, Épitres, texte établi et traduit par François Villeneuve, 4ème édition, Paris, 1961.

Suponhamos que um pintor entendesse de ligar a uma cabeça humana um pescoço de cavalo, ajuntar membros de toda procedência e cobri-los de penas variegadas, de sorte que a figura, de mulher formosa em cima, acabasse num hediondo peixe preto; entrados para ver o quadro, meus amigos, vocês conteriam o riso? Creiam-me, Pisões, [1] bem parecido com um quadro assim seria um livro onde se fantasiassem formas sem consistência, quais sonhos de enfermo, de maneira que o pé e a cabeça não se combinassem num ser uno.

— A pintores e poetas sempre assistiu a justa liberdade de ousar seja o que for. *[10]*

— Bem o sei; essa licença nós a pedimos e damos mutuamente; não, porém, a de reunir animais mansos com feras, emparelhar cobras com passarinhos, cordeiros com tigres.

Não raro, a uma introdução solene, prenhe de promessas grandiosas, cosem um ou dois retalhos de púrpura, que brilhem de longe, quando se descreve um bosque sagrado e um altar de Diana, os meandros duma fonte a correr apressada por amena campina, o Reno ou o arco-íris; mas esses quadros não tinham lugar ali. Você talvez pinte muito bem um cipreste, mas que importa isso, se está nadando, sem esperanças, entre os destroços dum naufrágio, o freguês que *[20]* pagou para ser pintado? [2] Começou-se a fabricar uma ânfora; por que, ao girar o torno do oleiro, vai saindo um pote? Em suma, o que quer que se faça seja, pelo menos, simples, uno.

A maioria dos poetas, ó pai e moços dignos do pai, deixamo-nos enganar por uma aparência de perfeição. Esfalfo-me por ser conciso e acabo obscuro; este busca a leveza e faltam-lhe nervos e fôlego; aquele promete o sublime e sai empolado; um excede-se em cautelas com medo à tempestade e roja pelo chão; outro recorre ao maravi-

---

1. Este pequeno tratado é uma carta dirigida pelo poeta a seus amigos os Pisões, pai e filhos.

2. Salvo dum naufrágio, o freguês encomendou ao pintor um quadro alusivo à graça alcançada, que depositará num templo.

lhoso para dar variedade a matéria una e acaba pintando golfinhos no mato e javalis nas ondas. [30]

A fuga a um defeito, faltando arte, conduz a um vício. O mais apagado artífice das imediações da escola de Emílio [3] pode, em bronze, modelar unhas, pode até reproduzir a maciez dos cabelos e, não obstante, malograr-se no conjunto da obra por não saber compor o todo. Eu cá, se me pusesse a criar uma obra de arte, a ser como ele, preferiria viver com nariz torto, olhos negros, cabelos negros de chamar atenção.

Vocês, que escrevem, tomem um tema adequado a suas forças; ponderem longamente o que seus ombros se recusem a carregar, o que agüentem. A quem domina o assunto escolhido não faltará elo- [40] qüência, [4] nem lúcida ordenação. A força e graça da ordenação, se não me engano, está em dizer logo o autor do poema enunciado o que se deve dizer logo, diferir muita coisa, silenciada por ora, dar preferência a isto, menospreço àquilo.

Outrossim, se, empregando-se delicada cautela no encadeamento das palavras, um termo surrado, graças a uma ligação inteligente, lograr aspecto novo, o estilo ganhará em requinte. Se acaso idéias nunca enunciadas impuseram a criação de expressões novas, será o caso [50] de forjar termos que não ouviram os Cetegos [5] de túnica cintada. Tomada com discrição, tal liberdade será consentida e palavras novas em folha terão curso quando pingarem da bica grega, numa derivação parcimoniosa. Ora, que regalia consentirá o romano a Cecílio e Plauto, mas negará a Vergílio e Vário? [6] Se eu sou capaz dumas minguadas aquisições, por que mesquinhar-me esse direito, uma vez que a linguagem de Catão [7] e Ênio [8] enriqueceu o idioma nacional lançando neologismos? Era e sempre será lícito dar curso a um vocábulo de

---

3. Escola de gladiadores.

4. É o velho preceito de Catão: *rem tene, verba sequentur*: domina o assunto, que as palavras virão.

5. Família tradicional, tardou a adotar túnicas de modelo novo.

6. Plauto e Cecílio, autores já antigos de comédias; Vergílio e Vário, épicos contemporâneos e amigos de Horácio.

7. Catão, o Censor, um dos primeiros prosadores latinos, orador e historiógrafo, deixou também obras técnicas, notadamente um tratado de agricultura.

8. Ênio, o maior dos primitivos poetas latinos, compôs os *Anais,* poema épico, e mais sátiras, tragédias e comédias. Grandemente apreciado por Cícero.

cunhagem recente. Como, à veloz passagem dos anos, os bosques mudam de folhas, que as antigas vão caindo, assim perece a geração [60] velha de palavras e, tal como a juventude, florejam, viçosas, as nascediças. Somos um haver da morte, nós e o que é nosso. Pode Netuno, gasalhado em terra, abrigar dos aquilões nossas esquadras — uma obra de rei; pode um paul, por longo tempo improdutivo e praticável aos remos, alimentar as cidades ribeirinhas e sentir o peso do arado; pode um rio aprender um caminho melhor e abandonar um curso fatal às searas; as obras humanas passarão. Muito menos se há de manter de pé, vivedoura, a voga prestigiosa das expressões. Revive- [70] rão muitos termos que haviam caído e outros, hoje em voga, cairão, se assim reclamar a utilidade, de cujo arbítrio exclusivo pende o justo e o normal numa língua.

Homero mostrou qual o ritmo apropriado à narração dos feitos dos reis e capitães nas guerras funestas. Em dísticos de versos desiguais encerrou-se de início a endecha; mais tarde, também a satisfação dum voto atendido. Mas quem seria o inventor da curta estrofe elegíaca? Discutem-no os filólogos e o processo ainda se encontra nas mãos do juiz. A cólera armou a Arquíloco[9] de jambos todo seus; esse pé adequado ao diálogo, que sobrepuja a zoada do público e nasceu para a ação, perfilharam-no os socos e os imponentes coturnos.[10] A Musa conferiu à lira o privilégio de celebrar os deuses, os [80] filhos dos deuses, o púgil vencedor, o cavalo ganhador da corrida, as inquietações da mocidade e as liberdades do vinho.

Se não posso nem sei respeitar o domínio e o tom de cada gênero literário, por que saudar em mim um poeta? por que a falsa modéstia de preferir a ignorância ao estudo?

A um tema cômico repugna ser desenvolvido em versos trágicos; doutro lado, o *Jantar de Tiestes*[11] indigna-se de ser contado em composições caseiras, dignas, por assim dizer, do soco. Guarde cada [90] gênero o lugar que lhe coube e lhe assenta.

---

9. Arquíloco de Paros, admirado e imitado por Horácio, foi o provável criador da elegia; usou o metro jâmbico em suas invectivas.

10. Socos, calçado próprio da comédia; coturnos, da tragédia.

11. Tema de tragédias gregas e latinas, de que se lembrou Camões:

> "Bem puderas, ó Sol, da vista destes
> Teus raios apartar aquele dia,
> Como da seva mesa de Tiestes,
> Quando os filhos por mão de Atreu comia."
>
> *Lusíadas*, III, 133.

Às vezes, contudo, a comédia ergue a voz e um Cremes [12] zangado ralha de bochechas inchadas; muitas vezes, também, na tragédia, um Télefo ou Peleu [13] se lamenta em linguagem pedestre, quando este ou aquele, na pobreza e no exílio, rejeita os termos empolados e sesqüipedais, [14] se lhe importa tocar, com suas queixas, o coração da platéia.

Não basta serem belos os poemas; têm de ser emocionantes, de conduzir os sentimentos do ouvinte aonde quiserem. O rosto da *[100]* gente, como ri com quem ri, assim se condói de quem chora; se me queres ver chorar, tens de sentir a dor primeiro tu; só então, meu Télefo, ou Peleu, me afligirão os teus infortúnios; se declamares mal o teu papel, ou dormirei, ou desandarei a rir. Se um semblante é triste, quadram-lhe as palavras sombrias; se irado, as carregadas de ameaças; se chocarreiro, as joviais; se severo, as graves. A natureza molda-nos primeiramente por dentro para todas as vicissitudes; ela nos alegra ou impele à cólera, ou prostra em terra, agoniados, ao peso da aflição; depois é que interpreta pela linguagem as emoções da alma. *[110]* Se a fala da personagem destoar de sua boa ou má fortuna, romperão em gargalhadas os romanos, cavaleiros e peões.

Muito importará se fala um deus ou um herói, um velho amadurecido ou um moço ardente na flor da juventude, uma autoritária matrona ou uma governanta solícita, um mascate viajado ou o cultivador duma fazendola verdejante, um cidadão da Cólquida ou um da Assíria, alguém criado em Tebas ou em Argos.

Deve-se ou seguir a tradição, ou criar caracteres coerentes consigo. Se o escritor reedita o celebrado Aquiles [15] que este seja estrê- *[120]* nuo, irascível, inexorável, impetuoso, declare que as leis não foram feitas para ele e tudo entregue à decisão das armas. Medéia [16] será feroz e indomável; Ino, [17] chorosa; Ixíon, [18] pérfido; Io, [19] erradia;

---

12. Cremes, personagem de comédias, especialmente de *Heautontimorumenus* e *Phormio,* de Terêncio.

13. Télefo e Peleu, personagens de tragédias gregas.

14. Sesqüipedal é o que mede um pé e meio; palavras sesqüipedais são as demasiado longas.

15. Herói da *Ilíada,* o maior guerreiro aqueu.

16. Medéia, traída por Jasão, vinga-se matando-lhe a noiva e o sogro, e seus próprios filhos.

17. Ino, perseguida por Hera, ciumenta esposa de Zeus, precipitou-se no mar e tornou-se deusa marinha com o nome de Leucotéia.

18. Ixíon tentou raptar Hera; em castigo, foi preso, no Hades, a uma roda, que girava sem parar.

19. Io, raptada por Zeus e mudada em novilha.

Orestes,[20] sorumbático. Quando se experimenta assunto nunca tentado em cena, quando se ousa criar personagem nova, conserve-se ela até o fim tal como surgiu de começo, fiel a si mesma.

É difícil dar tratamento original a argumentos cediços, mas, a ser o primeiro a encenar temas desconhecidos, ainda não explorados, é preferível transpor para a cena uma passagem da *Ilíada.* Matéria *[130]* pública se tornará de direito privado, se você não se demorar aí pela arena vulgar, aberta a toda gente, nem, tradutor escrupuloso, se empenhar numa reprodução literal, ou, imitador, não se meter numas aperturas de onde a timidez ou as exigências da obra o impeçam de arredar pé.

Tampouco se deve começar como certo autor cíclico[21] outrora: "Cantarei a sorte de Príamo e a guerra ilustre..." Que matéria nos dará esse prometedor, digna de tamanha boca aberta? Vai parir a montanha, nascerá um ridículo camundongo. Bem mais acertado andou este outro,[22] que nada planeja de modo inepto: "Fala-me, Musa, *[140]* do herói que, após a tomada de Tróia, viu os costumes e cidades de muitos homens"! Ele não se propõe tirar fumaça dum clarão, mas luz da fumaça, a fim de nos exibir, em seguida, maravilhas deslumbrantes, um Antífates e uma Cila, uma Caribde além dum Ciclope. Não inicia pela morte de Meléagro o regresso de Diomedes,[23] nem pelo par de ovos[24] a guerra de Tróia; avança sempre rápido para o desfecho e arrebata o ouvinte para o centro dos acontecimentos, como se fossem estes já conhecidos; abandona os passos que não espera possam brilhar graças ao tratamento e de tal forma nos ilude, de *[150]* tal modo mistura verdade e mentira, que do começo não destoa o meio, nem, do meio, o fim.

Ouça você o que desejo eu e comigo o povo, se quer que a platéia aplauda e espere, sentada, a descida do pano, até o ator pedir "aplaudi". Cumpre observar os hábitos de cada idade, dar a carac-

---

20. Perseguido pelas Eríneas, divindades infernais, pelo assassínio de Clitemnestra, sua mãe.

21. Muitos poemas se escreveram sobre Tróia, Tebas e outros assuntos da antigüidade mítica. Desconhece-se o autor aqui censurado.

22. Homero, na *Odisséia.*

23. Entre os poemas cíclicos, alguns narravam a volta de heróis da guerra de Tróia; por exemplo, a *Odisséia,* sobre o regresso de Odisseu (Ulisses).

24. Segundo uma das versões da lenda, Zeus, apaixonado por Leda, esposa de Tíndaro, visitou-a disfarçado em cisne. De um ovo teriam nascido Pólux e Helena, filhos de Zeus; de outro, Cástor e Clitemnestra, filhos do marido.

teres e anos mudáveis o aspecto que lhes convém. Uma criança já capaz de falar, que imprime no chão a marca de passos seguros, anseia brincar com seus iguais, sem motivo se encoleriza e se acalma, muda duma hora para outra. Afastado, finalmente, o seu aio, um *[160]* moço ainda imberbe se deleita com os cavalos, com os cães, com o gramado a céu aberto do Campo de Marte; [25] molda-se como cera ao vício, áspero às advertências, moroso em prover às necessidades, pródigo de dinheiro, empertigado, apaixonado, pronto a largar as coisas que amou. Com a idade e o espírito varonil, mudam-se os gostos; o homem passa a buscar o prestígio, as amizades; cativa-se das honrarias, acautela-se de empresas que talvez em breve se empenhe em mudar. Ao velho cercam muitos incômodos, ou porque procura e, coitado, depois de achar se abstém, temeroso de usar, ou porque em *[170]* tudo que executa põe timidez e frieza, sempre adiando, pondo longe as esperanças, inativo, inquieto quanto ao futuro, impertinente, queixoso, gabando sempre o tempo passado em sua meninice, repreendendo e reprovando os mais novos. Os anos, à medida que vêm, trazem consigo vantagens sem número; à medida que se vão, levam consigo um sem-número delas. Não se atribua a um jovem o quinhão da velhice, nem a um menino o dum adulto; a personagem manterá sempre o feitio próprio e conveniente a cada quadra da vida.

As ações ou se representam em cena ou se narram. Quando *[180]* recebidas pelos ouvidos, causam emoção mais fraca do que quando, apresentadas à fidelidade dos olhos, o espectador mesmo as testemunha; contudo, não se mostrem em cena ações que convém se passem dentro e furtem-se muitas aos olhos, para as relatar logo mais uma testemunha eloqüente. Não vá Medéia trucidar os filhos à vista do público; nem o abominável Atreu cozer vísceras humanas, nem se transmudará Procne [26] em ave ou Cadmo [27] em serpente diante de todos. Descreio e abomino tudo que for mostrado assim.

Para ser reclamada e voltar à cena, não deve uma peça ficar aquém nem ir além do quinto ato; nem intervenha um deus, salvo *[190]* se ocorrer um enredo que valha tal vingador; nem se empenhe em falar uma quarta personagem. Que o coro desempenhe uma parte na ação e um papel pessoal; não fique cantando entre os atos matéria que

25. Lugar onde os jovens romanos se exercitavam para a guerra. Ali também se realizavam os comícios.

26. Procne vingou-se da infidelidade de Tereu matando Ítis, filho do casal. Foi metamorfoseada em rouxinol.

27. Cadmo, fundador de Tebas, e Harmonia, sua esposa, foram convertidos em serpentes.

não condiga com o assunto, nem se ligue a ele estreitamente. Cabe-lhe apoiar os bons, dar conselhos amigos, moderar as iras, amar aos que se arreceiam de errar; louve os pratos da mesa frugal, bem como a justiça salutar, as leis, a paz de portas abertas; guarde os segredos confiados a ele, ore aos deuses, peça que a Fortuna volte aos infelizes e abandone os soberbos. *[200]*

A flauta, não revestida de latão, como agora, a rivalizar com a trombeta, mas sim, suave, duma só peça, com poucos furos, servia para dar tom aos coros e acompanhá-los, enchendo de som a platéia, ainda não apinhada demais, aonde afluía um público fácil de contar, pouco que era, sóbrio, pio, pudoroso. Desde que, vencedor, o povo passou a dilatar os campos, um muro mais longo a envolver a cidade e o Gênio a ser aplacado, nas festividades, com vinho em pleno dia impunemente, uma licença mais larga penetrou nos ritmos e melo- *[210]* dias. Que gosto, com efeito, podia ter, forrado aos trabalhos, confundido com os citadinos, um campônio sem instrução, um pé-rapado entre gente distinta? Foi assim que o flauteiro, à arte primitiva, juntou movimentação e luxo e arrastou as vestes vagando pelos tablados. Assim também se aumentaram as notas da severa lira, uma eloqüência arrebatada assumiu um estilo desusado e o pensamento capaz de úteis conselhos e de previsão do futuro não se diferencia do oráculo de Delfos.

Quem concorreu com uma tragédia ao prêmio barato dum *[220]* bode,[28] pouco depois também pôs em cena, despidos, os agrestes sátiros e rudemente, sem abandono da gravidade, tentou o cômico, porque tinha de ser retido por atrações e novidades agradáveis um espectador que acabava de sacrificar, avinhado e desmoderado. Mas a apresentação dos sátiros galhofeiros e mordazes e a mudança em cômico dum espetáculo sério convém que não redundem, por uma linguagem achavascada, na transferência de qualquer deus ou herói, há pouco visto vestido de ouro e púrpura, para escuras tavernas; nem o façam, para evitar o chão, agarrar-se às nuvens e ao vazio. *[230]*

Não fica bem à tragédia a paroleira em versos chochos; como uma matrona forçada a dançar em dias festivos, ela corará um pouco de se achar no meio de sátiros atrevidos. Eu, Pisões, se escrever dramas satíricos, não me satisfarei com nomes e verbos precisos e sem ornamentos, nem porei empenho em me conservar longe do colorido

---

28. Esse, conforme a tradição, o prêmio conferido aos primitivos autores de tragédias; este nome se derivaria de *tragos*, apelativo do bode em grego.

trágico ao ponto de não se diferençar da linguagem de Davo [29] e da atrevida Pitíade, [30] que enriqueceu com um talento esmoncado do nariz de Simão, a dum Sileno, aio e criado dum deus [31] seu pupilo. Comporei um poema sobre matéria conhecida, de modo que um *[240]* qualquer espere fazer o mesmo, porém, atrevendo-se a igual empresa, sue muito e se esforce em vão; tal é a força da ordem e do arranjo! tal beleza ganham termos tomados ao trivial! Trazidos das matas, devem os faunos, no meu entender, acautelar-se de, como os naturais dos becos ou os freqüentadores da praça, compor jamais juvenilmente versos delicados demais, ou estalar em palavreado sujo e degradante; isso confrange quem tem cavalo, pai e haveres [32] e, mesmo que aprove alguma coisa o comprador de grão-de-bico frito e de nozes, [33] nem por isso o aceita de bom grado e lhe outorga a coroa. *[250]*

Uma sílaba longa ajuntada a uma breve é o que se chama jambo; é um pé ágil; por isso ele determinou que se desse aos versos jâmbicos o nome de trímetros, [34] embora conte seis batidas, sempre igual a si mesmo do começo ao fim; não faz tanto tempo, [35] a fim de chegar aos ouvidos um pouco mais lento e grave, teve a benevolência e tolerância de admitir a participar de seus direitos hereditários os equilibrados espondeus, sem todavia, deixar-lhes, em boa camaradagem, o segundo ou o quarto lugar. Além de aparecer raramente nos nobres trímetros de Ácio, [36] aos versos de Ênio, lançados à cena com *[260]* grande peso, ele faz carga pelo feio crime ou de excessiva pressa no trabalho e falta de cuidado, ou de ignorância da arte.

— Não é qualquer juiz que vê nos poemas a falta de cadência e aos poetas romanos se deu não merecida indulgência.

— É isso razão para eu desgarrar e escrever sem regra? ou devo cuidar que toda gente verá as minhas faltas e manter-me, precavido

---

29. Nome usual de escravos de comédia.

30. Personagem duma comédia de Cecílio, extorquia dinheiro de seu amo, com que dotar a filha.

31. Baco.

32. Cidadão pertencente à ordem eqüestre.

33. Indivíduo do povo.

34. Trímetro, formado de três dipodias, cada uma de dois jambos. Com exceção do 2.° e do 4.°, estes podiam ser substituídos por espondeus (duas sílabas longas).

35. É uma das traduções possíveis de *non ita pridem*; de quantas se propuseram nenhuma é inteiramente satisfatória.

36. Um dos primeiros poetas latinos, autor de tragédias de que restam apenas fragmentos.

e seguro, nos limites duma esperada tolerância? Será evitar a censura, sem merecer o louvor. Vocês versem os modelos gregos com mão noturna e diurna.

— Mas, dirão, vossos avós louvaram o ritmo e o chiste de *[270]* Plauto.

— Uma e outra coisa admiraram eles com demasiada tolerância, para não dizer incompetência, ou então eu e você não sabemos distinguir a expressão grosseira da espirituosa e escandir com os dedos, ou de ouvido, a cadência justa.

Segundo consta, Téspis [37] foi o inventor do até então ignorado gênero da Camena [38] trágica e transportava em carretas poemas que atores cantavam e representavam de cara besuntada de borra. Após ele, Ésquilo, inventor da máscara e mantos nobres, estendeu tablados sobre pequenos caibros e ensinou como emitir voz forte e firmar-se nos coturnos. A esses seguiu a comédia antiga, não sem muito *[280]* aplauso; mas a liberdade descambou num excesso e violência, que pedia repressão legal; aprovou-se uma lei e, tolhido o direito de fazer mal, o coro calou-se ignobilmente.

Nada deixaram de tentar os nossos poetas; nem foi o menor mérito a coragem de abandonar as pegadas gregas e celebrar os fastos nacionais, tanto dos que encenaram tragédias *pretextas* [39] como dos autores de *togatas.* [40] Não seria mais poderoso o Lácio pela bravura e gloriosos feitos de guerra do que pela língua, se não entediasse *[290]* cada um dos poetas o demorado trabalho da lima. Vocês, descendentes de Pompílio, [41] retenham [42] o poema que não tenha sido apurado em longos dias por muita rasura, polido dez vezes até que uma unha bem aparada não sinta asperezas.

Demócrito considera mais afortunado o gênio do que a mesquinha da arte e exclui do Helicão [43] os poetas de juízo perfeito; por isso, boa parte deles descuida de aparar as unhas e a barba, busca

37. Teria vivido no século IV a.C.

38. Divindade latina, identificada com a Musa grega.

39. Tragédia de assunto histórico romano.

40. Comédia com personagens latinas.

41. Numa Pompílio, lendário segundo rei de Roma.

42. *Reprehendite* pode significar "censurai", como entendeu F. Villeneuve na edição *Belles Lettres.* O sentido original de *reprehendere,* contudo, é *segurar por trás, reter.* Pensamos ser este o desejado pelo A. que, mais adiante (v. 389), recomenda a retenção dos originais por oito anos antes da publicação.

43. Monte da Beócia, onde residiam as Musas.

lugares retirados, evita os banhos; ganharão, com efeito, o prestigioso nome de poetas, se jamais confiarem ao barbeiro Licino uma cabeça que as três Antíciras [44] não conseguiriam curar. *[300]*

Mas que desastrado sou eu, que purgo a bile ao chegar a primavera! Outro não faria melhores poemas! Bem, isso não é tão importante. Farei o trabalho da pedra de amolar, que não tem fio para cortar, mas é capaz de dar gume ao ferro; sem nada escrever eu próprio, ensinarei as regras do mister, as fontes de recursos, o que nutre e forma o poeta, o que fica bem, o que não, aonde leva o acerto, aonde o erro.

Princípio e fonte da arte de escrever é o bom senso. Os escritos socráticos poderão indicar as idéias; obtida a matéria, as palavras *[310]* seguirão espontaneamente. [45] Quem aprendeu os seus deveres para com a pátria e para com os amigos, com que amor devemos amar o pai, o irmão, o hóspede, qual a obrigação dum senador, qual a dum juiz, qual o papel do general mandado à guerra, esse sabe com segurança dar a cada personagem a conveniente caracterização. Eu o aconselharei a, como imitador ensinado, observar o modelo da vida e dos caracteres e daí colher uma linguagem viva. Uma peça abrilhantada pelas verdades gerais e pela correta descrição dos caracteres, porém de nenhuma beleza, sem peso nem arte, por vezes deleita mais fortemente o público e o retém melhor do que versos pobres de assunto *[320]* e bagatelas maviosas.

Aos gregos deu a Musa o gênio; aos gregos concedeu ela fluência harmoniosa no falar, por serem ávidos apenas de glória; os meninos romanos aprendem por meio de cálculos demorados a dividir o asse [46] em cem partes. "Fale o filho de Albano: se dum quincunce se tira uma onça, quanto fica? Vamos, já devia ter respondido! — Um terço de asse. — Muito bem! já pode defender o seu capital. Repõe-se a onça; quando fica? — Meio asse." E é quando essa azinhavrada preocupação de poupança tiver impregnado os espíritos que esperamos *[330]* se possam criar poemas que valha a pena untar com óleo de cedro [47] e guardar em cipreste polido? [48]

---

44. Três cidades tinham esse nome e forneciam heléboro, usado no tratamento da loucura.

45. V. nota 4.

46. Moeda romana de pouco valor, dividida em 12 onças. Um quincunce valia 5 onças.

47. Com ele se untava o papiro, como proteção contra as traças.

48. Alusão à *capsa,* estojo cilíndrico de madeira, onde se guardavam os rolos de papiros ou pergaminhos (*volumina*).

Os poetas desejam ou ser úteis, ou deleitar, ou dizer coisas ao mesmo tempo agradáveis e proveitosas para a vida. O que quer que se preceitue, seja breve, para que, numa expressão concisa, o recolham docilmente os espíritos e fielmente o guardem; dum peito já cheio extravasa tudo que é supérfluo. Não se distanciem da realidade as ficções que visam ao prazer; não pretenda a fábula que se creia tudo quanto ela invente, nem extraia vivo do estômago da Lâmia [49] um menino que ela tinha almoçado. As centúrias [50] dos quarentões *[340]* recusam as peças sem utilidade; os Ramnes [51] passam adiante, desdenhando as sensaborias. Arrebata todos os sufrágios quem mistura o útil e o agradável, deleitando e ao mesmo tempo instruindo o leitor; esse livro, sim, rende lucros aos Sósias; [52] esse transpõe os mares e dilata a longa permanência do escritor de nomeada.

Há, todavia, faltas que estamos prontos a perdoar, pois a corda nem sempre dá o som pretendido pela mão e pela intenção; muitas vezes, pede-se-lhe uma nota grave e ela desfere uma aguda; também nem sempre o arco ferirá o alvo ameaçado. Mas quando, num poe- *[350]* ma, a maior parte brilha, não sou eu quem vá agastar-se por umas poucas nódoas, que ou o descuido deixou passar, ou a natureza humana não preveniu bastante. Um copista não tem desculpa se, apesar de advertido, comete sempre a mesma falta, e o citaredo que erra sempre na mesma corda provoca o riso; assim também, a meu ver, quem relaxa muito se torna o famoso Quérilo; [53] este, por duas ou três vezes, sorrindo, chego a considerar bom e admirar, ao passo que me revolto quando o excelente Homero acaso cochila; todavia, é perdoável que o sono se insinue numa obra extensa. *[360]*

Poesia é como pintura; uma te cativa mais, se te deténs mais perto; outra, se te pões mais longe; esta prefere a penumbra; aquela quererá ser contemplada em plena luz, porque não teme o olhar penetrante do crítico; essa agradou uma vez; essa outra, dez vezes repetida, agradará sempre.

Você, o mais velho dos dois moços, embora, além de estar sendo moldado para o bem pela palavra de seu pai, também tenha senso

---

49. Um papão.

50. Alusão à primitiva divisão do povo de Roma em 193 classes; representa aqui os homens de mais de 45 anos.

51. A tribo que reunia os cidadãos latinos na primitiva população de Roma; representa aqui os cavaleiros jovens.

52. Livreiros.

53. Medíocre poeta épico grego, contemporâneo de Alexandre, o Grande.

por si mesmo, recolha na memória isto que lhe digo: é de justiça, em determinadas matérias, consentir com o mediano e o tolerável; o jurisconsulto e o causídico medíocres estão longe do talento do eloqüente Messala [54] e não sabem tanto quanto Aulo Cassélio; [55] têm, não *[370]* obstante, o seu valor. Aos poetas, nem os homens, nem os deuses, nem as colunas das livrarias perdoam a mediocridade. Assim como, num jantar de bom gosto, repugnam uma sinfonia desafinada, um perfume forte e semente de papoula com mel da Sardenha, porque os pratos podiam ser servidos sem tais acompanhamentos, assim um poema, nascido e inventado para encanto dos espíritos, por pouco que desça do ponto mais alto, cai no mais baixo. Quem não sabe manejá-las, abstém-se das armas do Campo de Marte; quem não aprendeu a lidar com a bola, o disco, ou o arco, permanece quieto, receoso de que a roda de espectadores apinhados rompa em gargalhadas *[380]* impunes; no entanto, aventura-se a compor versos um que não sabe! Por que não? É livre, assim nasceu; ademais, no recenseamento, a soma de seu dinheiro assegurou-lhe a ordem eqüestre e está a salvo voltar atrás. *[390]*

Você não dirá nem fará nada contrariando a Minerva; tal é o seu sentir, o seu feitio. Se, porém, alguma vez vier a escrever algo, sujeite-o aos ouvidos do crítico Mécio, aos de seu pai e aos meus e retenha-o por oito anos, guardando os pergaminhos; o que você não tiver publicado poderá ser destruído; a palavra lançada não sabe voltar atrás. *[390]*

Orfeu, pessoa sagrada e intérprete dos deuses, incutiu nos homens da selva o horror à carnificina e aos repastos hediondos; daí dizerem que ele amansava tigres e leões bravios; também de Anfíon, fundador da cidade de Tebas, dizem que movia as pedras com o som da lira e, com um pedido carinhoso, as levava aonde queria. Existiu um dia a sabedoria de discernir o bem público do particular, o sagrado do profano, pôr fim aos acasalamentos livres, dar direitos aos maridos, construir cidades, gravar leis em tábuas. Foi assim que adveio aos poetas e seus cantos o glorioso nome de divinos. *[400]*

Depois desses, assinalou-se Homero; Tirteu, [56] com seus versos, estimulou para as guerras de Marte as almas viris; os oráculos pro-

---

54. Prestigioso político, orador e guerreiro, protetor dum círculo de poetas.

55. Jurisconsulto contemporâneo de Cícero.

56. Conta-se que, no século VII a. C., os espartanos teriam pedido a Atenas um general que lhes ensinasse estratégia. Os atenienses, por irrisão, lhes teriam enviado o poeta Tirteu, um inválido. Este, compondo hinos guerreiros, teria inspirado bravura ao exército de Esparta.

nunciaram-se em versos e foi mostrado assim o caminho da vida; o favor dos reis foi solicitado em ritmos piérios,[57] inventaram-se os festejos cênicos e a folga após longos trabalhos. Não há por que corar da Musa perita na lira e de Apolo cantor.

Já se perguntou se o que faz digno de louvor um poema é a natureza ou a arte. Eu por mim não vejo o que adianta, sem uma veia rica, o esforço, nem, sem cultivo, o gênio; assim, um pede ajuda ao outro, numa conspiração amistosa. Muito suporta e faz desde *[410]* a infância, suando, sofrendo o frio, abstendo-se do amor e do vinho, quem almeja alcançar na pista a desejada meta; o flautista que toca no concurso pítico estudou antes e temeu o mestre. Hoje em dia, o poeta se contenta em dizer: "Eu componho poemas admiráveis; apanhe a sarna quem chegar por último;[58] seria para mim vergonha ficar para trás e confessar que deveras não sei o que não aprendi."

Como o pregoeiro que atrai a multidão a comprar sua mercadoria, assim chama os bajuladores ao ganho o poeta rico de terras, rico de dinheiro a juros. Se é de fato alguém capaz de proporcio- *[420]* nar da maneira certa uma mesa lauta, afiançar um pobre sem crédito, arrancando-o à trama dum processo tenebroso, muito me surpreenderia que, na sua felicidade, soubesse distinguir do falso amigo o verdadeiro. Se você deu ou pretende dar alguma coisa a alguém, não o leve, ainda cheio de alegria, a ouvir versos de sua lavra; ele, é claro, exclamará: "Belo! ótimo! perfeito!" A uns versos, perderá a cor, chegará a destilar orvalho de olhos amigos, baterá com o pé no chão. Como, num funeral, as carpideiras choram, falam e fazem *[430]* quase mais do que os familiares de coração enlutado, assim o louvaminheiro se comove mais do que o louvador sincero. Os reis, consta, quando empenhados em verificar se uma pessoa merece a sua amizade, a pressionam com taças e mais taças, com a tortura do vinho; se você compuser versos, nunca o enganarão os sentimentos ocultos sob a pele da raposa.

Quando se recitava alguma coisa a Quintílio,[59] ele dizia: "Por favor, corrige isto e também isto"; quando você, após duas ou três tentativas frustradas, se dizia incapaz de fazer melhor, ele mandava desfazer os versos mal torneados e repô-los na bigorna. Se, a modi- *[440]*

---

57. O monte Píero, na Tessália, era consagrado às Musas.

58. Alusão a uma brincadeira em que um grupo de meninos é desafiado para uma corrida, cabendo uma pena ao último a chegar.

59. Quintílio Varo, um cremonense, amigo de Vergílio e de Horácio, que lamentou a sua morte na ode 24 do livro I.

ficar a falha, você preferiria defendê-la, não dizia mais uma única palavra, nem se dava ao trabalho inútil de evitar que você amasse, sem rivais, a si mesmo e à sua obra.

Um homem honesto e entendido criticará os versos sem arte, condenará os duros, traçará, com o cálamo,[60] de través, um sinal negro junto aos desgrenhados, cortará os ornatos pretensiosos, obrigará a dar luz aos poucos claros, apontará as ambigüidades, marcará o que deva ser mudado, virará um Aristarco[61] e não dirá: "Por que hei eu de magoar um amigo por causa duma ninharia?" Tais ni- *[450]* nharias levarão o autor a sérios dissabores, uma vez achincalhado e recebido desfavoravelmente.

Como com o indivíduo atacado de ruim sarna, do mal dos reis,[62] do delírio fanático[63] ou da fúria de Diana,[64] quem tem juízo teme o contacto do poeta maluco, foge dele; a garotada o acossa e persegue incautamente. Se ele, enquanto empertigado, arrota seus versos andando a esmo e, como um passarinheiro de olhos nos melros, cair num poço ou num valo, por mais que grite "eh! gente! socorro!", não haverá quem pense em tirá-lo. Se alguém cuidar de lhe acudir *[460]* e descer uma corda, eu direi: "Como sabes se ele não se atirou ali de propósito e se quer ser salvo?" e lhe contarei o fim do poeta siciliano: desejoso de passar por um deus imortal, Empédocles[65] saltou, de sangue frio, nas chamas do Etna.

Reconheça-se aos poetas o direito de morrer a seu gosto; salvar alguém contra sua vontade é o mesmo que matá-lo. Não é a primeira vez que ele faz isso; tirado fora, não se tornará logo um homem, não deixará o desejo duma morte famosa. Não é bastante clara a razão por que verseja: se foi por ter urinado nas cinzas do pai, ou por ter profanado com uma ação impura o sinistro lugar onde caiu um *[470]* raio. Não há dúvida que enlouqueceu e, como um urso que logrou quebrar as barras da jaula, esse declamador molesto afugenta o sábio e o ignorante; e quando agarra algum, não o larga, mata-o lendo, sanguessuga que só farta de sangue se despega da pele.

---

60. Como se faz hoje com o lápis vermelho.

61. Aristarco da Samotrácia, crítico literário, bibliotecário em Alexandria, empreendeu expurgar de interpolações os poemas de Homero.

62. Icterícia.

63. Mal que se apoderava dos sacerdotes de *Belona*, deusa da guerra.

64. Mal dos lunáticos. Diana é divindade lunar.

65. Filósofo naturalista, de Agrigento.

LONGINO OU DIONÍSIO[1]

DO SUBLIME

1. Ignora-se o nome do autor e a data da obra. Esta é provavelmente do século I d. C. e seu autor se chamou Longino, ou Dionísio, ou Dionísio Longino. Muitos preferem dizer Anônimo.

Bibliografia:

Do Sublime, nas seguintes edições:

1. Du Sublime, texte établi et traduit par Henri Lebègue, deuxième édition — Paris — 1952 — Société d'Édition "Les Belles Lettres".

2. "Longinus" on the Sublime, Loeb Classic Library, London, 1960, with an English translation by W. Hamilton Fyfe.

I

1. O pequeno tratado que Cecílio[2] compôs sobre o sublime, como sabes, caríssimo Postúmio Terenciano, quando o examinávamos juntos, mostrou não estar à altura do assunto em todos os pontos, nem mesmo tocando nos principais; assim, não ministrava muita ajuda aos leitores, como deve antes de tudo visar o autor. Depois, de todo tratado de arte se requerem duas coisas: primeira, a definição do assunto; segunda, na ordenação, porém mais importante no valor, como e por quais métodos pode ele ser obtido por nós; no entanto, Cecílio procura mostrar, por milhares de exemplos, como para ignorantes, o que vem a ser o sublime, mas de que maneira poderíamos encaminhar nossa própria natureza a determinada elevação, isso, não sei por que, ele negligenciou, como desnecessário.

2. Censurá-lo, contudo, pelas omissões não é tão justo quanto louvá-lo pela concepção mesma e pelo esforço. Tu, porém, me exortaste a registrar, por minha vez, tão-somente para te ser agradável, algumas anotações a respeito do sublime. Então, vamos lá, examinemos se pareço ter concebido alguma teoria útil a homens públicos. Entretanto, amigo, como é de teu feitio e de teu dever, tu me ajudarás a julgar os pormenores com a maior sinceridade; razão tinha, com efeito, quem asseverou que o que nos assemelha aos deuses é bondade e sinceridade.

3. Escrevendo para ti, homem instruído e culto, de certo modo, caríssimo amigo, estou dispensado de assentar, num longo preâmbulo, que o sublime é o ponto mais alto e a excelência, por assim dizer, do discurso e que, por nenhuma outra razão senão essa, primaram e cercaram de eternidade a sua glória os maiores poetas e escritores.

---

2. Mestre de retórica judeu, que ensinava em Roma no tempo de Augusto.

4. Não é a persuasão, mas a arrebatamento, que os lances geniais conduzem os ouvintes; invariavelmente, o admirável, com seu impacto, supera sempre o que visa a persuadir e agradar; o persuasivo, ordinariamente, depende de nós, ao passo que aqueles lances carreiam um poder, uma força irresistível e subjugam inteiramente o ouvinte. A habilidade da invenção, a ordenação da matéria e sua distribuição, nós a custo as vemos emergir, não de um, nem de dois passos, mas do total da textura do discurso, enquanto o sublime, surgido no momento certo, tudo dispersa como um raio e manifesta, inteira, de um jato, a força do orador. Essas particularidades, suavíssimo Terenciano, e outras afins, tu mesmo as poderias expor com a tua experiência.

II

1. Mas cumpre-nos propor desde o começo a questão da existência duma técnica do sublime ou da profundidade, pois, na opinião de alguns, equivoca-se inteiramente quem reduz a regras técnicas tais qualidades. A genialidade, dizem eles, é inata, não se adquire pelo ensino; a única arte de produzi-la é o dom natural. No seu entender, as obras naturais se deterioram e aviltam de todo, se reduzidas a esqueleto pelas regras da arte.

2. Eu, de minha parte, assevero que ficará provado que as coisas se passam doutra maneira, se examinarmos que a natureza, embora quase sempre siga leis próprias nas emoções elevadas, não costuma ser tão fortuita e totalmente sem método e que ela constitui a causa primeira e princípio modelar de toda produção; quanto, porém, a dimensões e oportunidade de cada obra e, bem assim, quanto à mais segura prática e uso, compete ao método estabelecer âmbito e conveniência, sem esquecer que, deixados a si mesmos, sem os preceitos técnicos, sem apoio nem lastro, abandonados apenas a seus ímpetos e arrojo deseducado, os gênios correm perigo maior, pois, se muitas vezes precisam de espora, muitas outras, de freio.

3. Demóstenes declara que, na vida comum dos homens, ter sorte é o maior dos bens; o segundo, não inferior ao primeiro, é tomar boas decisões e quando falta este, se anula totalmente o primeiro. O mesmo podemos dizer da literatura: a natureza ocupa o lugar da boa sorte; a arte, o da boa decisão. E, o que é mais importante, mesmo o dependerem exclusivamente da natureza alguns dos predicados do estilo, temos de aprendê-lo da arte e de nenhuma outra fonte. Se refletisse sobre isso lá consigo quem censura os estudiosos

da arte, não mais, penso, julgaria supérflua e inútil a teoria a esse respeito. *(lacuna no ms.)*

III

1. "...ainda que detenham a longuíssima chama da chaminé, se eu vir um só guardador de lareira, farei entrar um turbilhão torrencial, com um incêndio reduzirei a casa a brasas; mas ainda não bramei o canto de minha raça." [3] Isso não chega ao trágico; apenas o contrafazem os turbilhões, o vomitar para o céu, o comparar Bóreas a um flauteiro e tudo mais; o trecho antes se turbou com o fraseado e tumultuou com as imagens do que ganhou em ênfase e, se à luz meridiana examinarmos as expressões uma a uma, aos poucos, de terríveis, vão afundando no ridículo. Se, numa tragédia, gênero por natureza inflado e aberto à ênfase, é, não obstante, imperdoável o exagero desafinado, muito menos, a meu ver, se afinará num contexto de realidade.

2. Por isso é que riem de Górgias de Leontinos quando escreve "Xerxes, o Júpiter dos persas" e "abutres, esses túmulos vivos", bem como de alguns passos de Calístenes, que não são sublimes, senão levantados, e mais ainda dos de Clitarco; o homem é epidérmico, sopra, na expressão de Sófocles, "em flautinhas, sem forbias". [4] Outros exemplos em Anfícrates, Hegésias e Mátris; [5] em muitos lugares eles se imaginam inspirados, mas os seus transportes não passam de puerilidades.

3. Em geral, o empolamento é um vício difícil de evitar entre os que mais o sejam. Naturalmente, todos quantos ambicionam a grandeza, não sei como, para evitar a pecha de fraqueza e aridez, deslizam para essa outra, persuadidos de que "errar um alvo grandioso é sempre um nobre erro".

4. Mas inchaços são ruins no corpo e no estilo, inconsistentes, falsos; quiçá nos voltem para a direção oposta, pois, como dizem, nada mais seco do que um hidrópico.

O empolamento aspira a ultrapassar o sublime, enquanto a puerilidade é precisamente o oposto do grandioso; rasteira de todo, tacanha

---

3. Fala de Bóreas na *Oritiia* de Ésquilo.

4. Assim se chamavam tiras de couro aplicadas nos lábios de quem tocava flauta, para suavizar o som.

5. Mestres de retórica do estilo asiático.

de idéias, ela é na realidade o mais ignóbil dos defeitos. Mas que vem a ser a puerilidade? não é deveras uma mentalidade escolar, que, por excesso de lavor, desanda em frieza? Deslizam para esse gênero aqueles que, aspirando à originalidade, ao rebuscado, e acima de tudo ao agrado, encalham no falso brilho e afetação.

5. Emparelha-se com essa uma terceira espécie de vício dos passos emocionantes, que Teodoro,[6] chamava *parentirso*; é a emoção deslocada e vazia, onde não se requer emoção, ou desmedida, onde se requer medida. Muitas vezes, alguns são desviados, como que por efeito de embriaguez, para emoções já dispensadas pelo assunto, subjetivas e de escolar; então, diante de ouvintes que nada sentiram, perdem a compostura; é natural, eles desatinam diante de pessoas não desatinadas.

Reservamos, todavia, outro lugar para tratar do patético.

IV

1. Do segundo vício atrás referido, ou seja da frieza, está cheio Timeu,[7] homem aliás capaz e nada estéril em matéria de grandeza, culto, inventivo, apenas muito inclinado à censura das falhas alheias e insensível às próprias, que, pela paixão de sempre lançar idéias novas, descamba amiúde no que há de mais infantil.

2. Alegarei um ou dois exemplos dele, pois Cecílio já registrou a maior parte. No elogio de Alexandre, o Grande, ele diz: "o qual tomou a Ásia inteira em menos anos do que levou Isócrates para escrever o discurso *Panegírico* a favor duma guerra contra a Pérsia". Estranho esse cotejo entre o Macedônio e o sofista, pois, ó Timeu, evidentemente Isócrates em questão de bravura deixava muito para trás os lacedemônios, porque estes precisaram de trinta anos para tomar Messena, enquanto ele compôs o *Panegírico* apenas em dez.

3. E em que termos alude aos atenienses capturados na Sicília? "Por terem cometido o sacrilégio de mutilar as imagens de Hermes foram punidos, principalmente por culpa dum só homem, descendente do ofendido pela linhagem direta dos pais, Hermócrates, filho de Hermão." Assim, caríssimo Terenciano, admira-me que não escreva, a

---

6. Retórico de Gádara e mestre do imperador Tibério.

7. Historiador do século IV a. C. Apelidaram-no *Epitimeu*, isto é, Pechoso.

respeito do tirano Dionísio, que "por ter sido ímpio para com Zeus e Heracles, foi despojado da tirania por Dião [8] e Heraclides".

4. Que necessidade há de falar de Timeu, quando os famosos semideuses Xenofonte e Platão, apesar de saídos da escola de Sócrates, às vezes se esquecem de si mesmos pelo gosto de tais ouropéis? O primeiro escreve em *Constituição de Esparta*: "Deles, menos que de estátuas de mármore, se ouviria a voz, menos do que das de bronze se atrairia o olhar; julgá-los-íamos mais modestos do que mesmo as meninas dos olhos." Quadraria a Anfícrates e não a Xenofonte chamar às pupilas dos olhos *meninas modestas*. É como, por Heracles! acreditar que as pupilas de toda gente sejam modestas, quando se diz que a impudência de alguns em nada se revela tão bem como nos olhos. Dum desavergonhado diz o Poeta: [9] "Borracho! Olhos de cão!"

5. Timeu, todavia, como se deitasse mão a coisas roubadas, nem essa frialdade deixou a Xenofonte; falando do gesto de Agátocles, que arrebatou, na festa da retirada do véu, [10] a prima dada em casamento a outro: "Quem o faria, a não ser quem nos olhos tivesse, em lugar de meninas, umas marafonas?"

6. E que dizer de Platão, aliás divino? Querendo referir-se a tábuas votivas, diz: "escreverão e depositarão nos templos memórias de cipreste'" e ainda "quanto a muralhas, Megilo, eu concordaria com Esparta em deixar os muros deitados no chão a dormir, sem os levantar".

7. Não fica longe disso a expressão de Heródoto, quando chama às mulheres formosas "suplício dos olhos". Se bem que ele tem alguma escusa, porque em seu texto quem assim se expressa são os bárbaros, de mais a mais, embriagados; mas nem mesmo na boca de personagens como essas fica bem faltar com as conveniências ante a posteridade.

V

Todos esses desaires, seja como for, nascem na literatura apenas por uma causa, a busca de novidade nas idéias, devido principalmente à qual desvariam os de hoje. É que as nossas virtudes e os nossos

---

8. O nome de Dião, por um trocadilho impossível de reproduzir, joga com o de Zeus, como o de Hermócrates com o de Hermes.

9. *Ilíada*, I, 225.

10. Terceiro dia da lua-de-mel.

vícios de certo modo costumam ter a mesma origem. Por isso, se os embelezamentos do estilo, os termos elevados e, somados a esses recursos, os do deleitamento concorrem para o bom resultado literário, esses mesmos requintes vêm a ser fonte e fundamento tanto do êxito quanto do malogro. Mais ou menos assim as transposições, as hipérboles e os plurais em lugar do singular; mostraremos adiante o perigo que parecem acarretar. Por isso cumpre desde já suscitar o problema e determinar como podemos evitar os vícios que impurificam o sublime.

VI

Isso é possível, meu amigo, se, de início, adquirirmos um claro conhecimento e juízo do que seja na realidade o sublime. O ponto é difícil de apreender, porquanto o julgamento do estilo é o resultado final duma longa experiência. Todavia, à guisa de sugestão, talvez não seja impossível proporcionar discernimento nessa matéria a partir dos pontos seguintes.

VII

1. É preciso saber, caríssimo amigo, que, no curso ordinário da vida, nada é grande quando haja grandeza em desprezá-lo; por exemplo, riqueza, honrarias, fama, realeza, tudo mais que apresenta uma exterioridade teatral, ao sensato não pareceriam bens superiores, porquanto o mesmo desprezá-los é um bem não medíocre (pelo menos, mais admiração do que os possuidores deles desperta quem, podendo possuí-los, por grandeza de alma os menoscaba); mais ou menos assim se deve examinar se os passos elevados em verso e prosa não têm uma aparência de grandeza semelhante, a que se tenha juntado grande soma de elementos forjados ao acaso, removidos os quais, aliás, eles se revelam ocos, havendo mais nobreza em os desprezar do que em admirá-los.

2. É da natureza de nossa alma deixar-se de certo modo empolgar pelo verdadeiro sublime, ascender a uma altura soberba, encher-se de alegria e exaltação, como se ela mesma tivesse criado o que ouviu.

3. Quando, pois, uma passagem, escutada muitas vezes por um homem sensato e versado em literatura, não dispõe a sua alma a sentimentos elevados, nem deixa no seu pensamento matéria para reflexões além do que dizem as palavras, e, bem examinada sem interrupção, perde em apreço, já não haverá um verdadeiro sublime, pois dura apenas o tempo em que é ouvida. Verdadeiramente grande é o

texto com muita matéria para reflexão, de árdua ou, antes, impossível resistência e forte lembrança, difícil de apagar.

4. Em resumo, considera belas e verdadeiramente sublimes as passagens que agradam sempre e a todos. Quando, pois, mau grado da diversidade das ocupações, do teor de vida, dos gostos, da idade, do idioma, todos ao mesmo tempo pensam unânimes o mesmo a respeito duma mesma coisa, então essa, digamos assim, sentença concorde de juízes discordes outorga ao objeto da admiração uma garantia sólida e incontestável.

VIII

1. Sendo cinco as fontes, como se diria, mais capazes de gerar a linguagem sublime e pressuposto, como fundamento comum a essas cinco faculdades, o dom da palavra, sem o qual não há absolutamente nada, a primeira e mais poderosa é a de alçar-se a pensamentos sublimados, como definimos nos comentários a Xenofonte; a segunda, a emoção veemente e inspirada.

Mas essas duas nascentes do sublime são na maior parte inatas; já as demais se adquirem também pela prática, nomeadamente determinada moldagem das figuras (estas talvez sejam de duas ordens, as de pensamento e as de palavra) mas, além dessas, a nobreza da expressão, da qual, por sua vez, fazem parte a escolha dos vocábulos e a linguagem figurada e elaborada. A quinta causa da grandeza, que encerra todas as anteriores, é a composição com vistas à dignidade e elevação.

Ora, pois, examinemos o conteúdo de cada uma dessas faculdades, dizendo previamente apenas que Cecílio omitiu algumas das cinco partes, incluída obviamente a emoção. 2. Mas se, no seu entender, o sublime e o patético vêm a ser uma só coisa e lhe parece que em toda parte se deparam naturalmente juntos, está enganado; com efeito, encontram-se algumas emoções separadas do sublime e sem grandeza, quais a pena, os sofrimentos, os temores e, ao inverso, muitos passos sublimes sem patético, como, além de milhares de outros, o ousado trecho dos Alóadas em Homero: [11] "Lidaram por erguer o Ossa sobre o Olimpo e sobre o Ossa o Pélio com suas frondes móveis, para escalar o céu" e este acréscimo ainda mais arrojado: "e tê-lo-iam levado a cabo."

---

11. *Odisséia,* XI, 315. Trata-se de Oto e Efialtes, gigantes, filhos da Terra, em guerra com Zeus.

3. Na oratória, os panegíricos, os discursos de solenidades e aparato, encerram do começo ao fim dignidade e elevação, mas em geral falta-lhes emoção; daí os oradores emotivos serem muito fracos panegiristas e, ao invés, os bons no encômio, muito fracos na emoção. 4. Doutro lado, se Cecílio achava que o patético não contribui de modo algum para o sublime e por essa razão não o considerou digno de menção, enganou-se completamente. Eu não trepidaria em afirmar que nada é tão grandiloqüente como, em seu lugar próprio, a emoção genuína, quando, por efeito dum delírio e dum sopro inspirador, exala e como que anima dum transporte profético os discursos.

IX

1. Pois bem, uma vez que a primeira das faculdades, quero dizer, o dom inato da grandeza, desempenha o papel mais eficiente entre todas, também aqui, embora seja antes um dom do que uma aquisição, é mister educar as almas, quanto possível, para a grandeza e, por assim dizer, torná-las prenhes sempre de arrebatamento.

2. "Como?" perguntarás. Escrevi alhures algo assim: "O sublime é o rebôo da grandeza da alma." Por isso, mesmo sem uma palavra, suscita admiração de per si um mero pensamento, graças à sua grandeza mesma, como o silêncio de Ájax na *Evocação dos Mortos,* [12] algo grandioso e mais sublime que qualquer palavra. 3. Primeiramente, pois, é absolutamente necessário assentar em princípio de onde nasce o sublime: o verdadeiro orador não pode ter sentimentos rasteiros e ignóbeis. Com efeito, pessoas de pensamentos e ocupações mesquinhas e servis a vida toda é impossível que produzam algo admirável, merecedor de imortalidade; grandeza, naturalmente, existe nas palavras daqueles cujos pensamentos são graves. 4. Assim é que as frases sublimes ocorrem às pessoas de sentimentos elevados, pois quem, quando Parmenião [13] disse: "Eu cá me contentaria..." *(lacuna no ms.)*

... a distância entre o céu e a terra; essa medida, dir-se-ia, era tanto a da Discórdia, quanto a de Homero. 5. Bem outra é a expressão de Hesíodo na descrição de Áclis — se de fato se deve considerar de Hesíodo também o *Escudo*: "de suas ventas escorria monco" — pois ele não fez terrível a imagem, senão repugnante.

---

12. Passagem da *Odisséia,* II, 543.

13. Um dos generais de Alexandre, o Grande.

Já Homero como engrandece as coisas divinas? "Quanto espaço brumoso abarca o olhar dum homem sentado numa atalaia, de olhos postos no mar cor de vinho, tanto vence o salto dos cavalos de forte nitrido, das deusas."[14] Ele mede o salto deles pela largura do mundo. Quem, pois, diante do exagero da extensão não exclamaria, com razão, que, se os cavalos das deusas fossem dar dois saltos seguidos, já não achariam lugar no mundo?

6. Ele superou a si mesmo na criação da *Batalha dos Deuses*:[15] "Soaram em redor as trombetas do vasto céu e do Olimpo; Aidoneu, rei dos mortos, tremeu nas profundezas, saltou de seu trono com um grito, temendo que Posidão, que abala o solo, rompesse a terra, seu palácio se devassasse aos mortais e imortais, com sua terrível umidade que aos deuses mesmos horroriza." Não estás vendo, amigo, como se fendeu a terra desde as profundezas, como o Tártaro mesmo se desnudou, como todo se subverteu e partiu o universo, como tudo junto, céu e inferno, mortais e imortais, então entrepelejam afrontando os perigos da batalha?

7. Passagem terrível, salvo se for entendida como uma alegoria, de todo em todo ímpia, sem respeito às conveniências. Homero, a meu ver, quando narrava os ferimentos de deuses, suas rixas, vinganças, lágrimas, prisões, paixões de toda espécie, tanto quanto pôde, mudou em deuses os homens da guerra de Tróia, e os deuses em homens. Mas a nós, desventurados, aguarda-nos, como um "porto dos males", a morte, ao passo que ele fez eterna, não a natureza dos deuses, mas a sua desventura.

8. Muito superiores à *Batalha dos Deuses,* porém, são todas as passagens que representam o ser divino como algo impoluto, grande, verdadeiramente puro, por exemplo (o passo foi tratado por muitos antes de mim), os versos a respeito de Posidão:[16] "Quando Posidão caminha, sob os seus pés imortais, tremem as serras, as florestas, os cumes, a cidade dos troianos, os navios dos aqueus. Ele guiou o seu carro sobre as ondas; de toda parte saltaram das profundezas diante dele os monstros marinhos, reconhecendo o seu soberano; de alegria, o mar abriu-se em dois, e eles partiram céleres."

9. Assim também o legislador dos judeus,[18] homem extraordinário, depois de conceber de maneira digna o poder divino, deu-lhe

---

14. *Ilíada,* V, 770.
15. Passagem da *Ilíada,* XXI.
16. *Ilíada,* XIII. 18, 19, 27, 28, 29.
17. Moisés, no *Gênesis.*

expressão logo na introdução das *Leis,* escrevendo: "Disse Deus". O quê? "Faça-se luz" e luz se fez; "haja terra", e houve terra.

10. Talvez, meu amigo, não me aches importuno por citar ainda um passo do Poeta, de conteúdo humano, para aprendermos como ele costumava acompanhar a grandeza do heroísmo. A *Batalha dos Gregos,* [18] ele a interrompe com um súbito nevoeiro e trevas impérvias; nesse momento, Ájax, impotente, exclama: "Zeus pai, vamos, salva dessa neblina os filhos dos aqueus; faze um céu sereno; deixa que nossos olhos enxerguem; aniquila-nos, mas na luz." É deveras o que sentiria um Ájax; ele não pede para viver — seria baixo demais para um herói — mas como, tolhido pela escuridão, não pode empregar a sua bravura em nenhuma proeza nobre, indignado com sua inércia na batalha, reclama luz com urgência, com a esperança de achar um funeral à altura de seu valor, ainda que o arrostasse Zeus.

11. Aqui, com efeito, Homero aviva com um sopro vigoroso os combates; seus próprios sentimentos não são outros, senão que "raiveja como Ares quando arremessa lanças, ou como a queimada destruidora nas montanhas, na espessura da floresta profunda, e em torno de sua boca ferve espuma." [19] 12. Ele, não obstante, ao longo da *Odisséia* — e por muitas razões é mister observar essa particularidade — mostra que, no declínio da grande genialidade, é próprio da velhice o gosto das estórias.

Além de muitos outros indícios de que compôs essa obra em segundo lugar, há o fato de ter produzido, na *Odisséia,* como episódios, a seqüência das agruras de Tróia e, por Zeus! ter tributado aqui aos heróis, como de muito tempo decididas, as lamentações e pranteios: "Jaz ali o denodado Ájax; jaz ali Aquiles; jaz ali Pátroclo, cuja sapiência pedia meças à dos deuses; jaz ali o meu filho dileto." [20] Assim, a *Odisséia* não é senão a continuação da *Ilíada.*

13. Por essa mesma causa, creio eu, tendo sido composta a *Ilíada* no auge da inspiração, ele estruturou de ações e combates todo o seu corpo, enquanto a maior parte da *Odisséia* é narrativa, como é próprio da velhice. Por isso podemos comparar Homero na *Odisséia* ao sol no ocaso, quando conserva, já não a força, mas a

---

18. *Ilíada,* XVII, 645.
19. *Ilíada,* XV, 605.
20. *Odisséia,* III, 109.

grandeza. Aqui ele já não mantém o vigor dos grandes poemas sobre Tróia, nem uma elevação uniforme jamais abaixada, nem igual profusão de emoções em fluxo perpétuo, nem uma versatilidade oratória e densa de imaginação realista, mas, à semelhança de quando o Oceano se retrai, acalmado, para dentro de seus próprios limites, aparecem então as marés baixas da grandeza e os errores em narrativas inverossímeis. 14. Dizendo isso, não esqueço as tempestades da *Odisséia,* a passagem do Ciclope e algumas outras, mas falo duma velhice — velhice, embora, de Homero; apenas, em todos esses passos, seguidamente prevalece o fabuloso sobre o real.

Digressionei nesses exemplos a fim de, como disse, mostrar como por vezes a genialidade, em seu declínio, muito facilmente desliza para a garrulice, como, por exemplo, no passo do odre, no dos homens mudados em porcos por Circe, que Zoilo chamava *bacorinhos chorosos,* no de Zeus alimentado pelas pombas como um borracho, no do náufrago sobre destroços dez dias sem comer, e no da incrível matança dos pretendentes. Que outra coisa posso dizer que sejam, senão verdadeiros sonhos de Zeus?

15. Ponham-se em cotejo as passagens da *Odisséia* para um segundo fim, o de saberes como a decadência da emoção nos grandes escritores e poetas se dilui em pintura de costumes. Constituem, com efeito, uma espécie de comédia de costumes as cenas características do cotidiano no palácio de Odisseu.

X

1. Bem, agora vejamos se contamos com ainda outro meio de tornar sublime o nosso estilo. Visto como são inerentes a todas as coisas certos elementos naturais coexistentes com a sua substância, não é certo que encontraríamos necessariamente uma causa do sublime na escolha indefectível das partes mais essenciais e no podermos formar, reunindo-as numa composição, como que um corpo único? De fato, um autor atrai o ouvinte pela escolha das idéias; outro, pela composição das idéias escolhidas.

Safo, por exemplo, sempre colhe dos sintomas e da realidade mesma os sentimentos que acompanham as paixões amorosas. Mas onde mostra a sua mestria? Na hábil escolha e combinação dos mais agudos e intensos deles:

2. "Igual aos deuses se me afigura aquele homem,
"que, sentado contigo face a face,
"ouve de perto a tua doce fala,
"o teu sorriso encantador,
"e isso convulsa-me o coração dentro do peito.
"Mal te vejo, não me resta um fio de voz,
"a língua se me parte e logo, sob a pele,
"percorre-me uma chama delicada,
"os meus olhos não vêem mais nada,
"os meus ouvidos zumbem,
"o meu suor escorre,
"possui-me toda uma tremura,
"fico mais verde que erva e pouco falta
"para que me sinta morta!"

3. Não te admira como a poetisa busca juntamente a alma, o corpo, os ouvidos, a língua, os olhos, as cores, tudo, como alheio e apartado dela e, contraditoriamente, ao mesmo tempo gela, arde, desatina, atina (pois ou se apavora, ou quase morre), para que apareça nela, não apenas uma emoção, todo um congresso de emoções? Todos os sintomas dessa natureza acontecem aos apaixonados, mas, como disse, a colheita dos mais agudos e a combinação deles num todo é que consuma o primor.

Desse modo, na minha opinião, na descrição das tempestades, seleciona o Poeta as mais horríveis circunstâncias. 4. O autor da *Arimaspéia*[21] acha terrível esta descrição: "Também isto causa grande espanto a nosso espírito: homens habitam a água, longe da terra, em pleno oceano; são infelizes, pois seu trabalho é penoso, têm os olhos nos astros, o pensamento nas águas. Amiúde, por certo, rezam de mãos erguidas para os deuses, enquanto suas entranhas são horrivelmente sacudidas." Qualquer um, parece-me, pode ver aí mais flor do que terror.

5. E Homero como faz? Tome-se um exemplo entre muitos: "Caiu-lhes em cima, como, alimentado sob as nuvens pelo vento, um vagalhão impetuoso cai sobre um navio veloz; a espumarada cobre-o todo, enquanto no velame ruge o terrível tufão; trepida apavorado o

---

21. Aristéas de Proconeso compôs um poema sobre um povo fantástico, os arimaspos, que tinham um olho único na testa e viveriam no extremo norte da Europa. Deles teve notícia Heródoto por meio dos citas, que, por sua vez, a deviam aos issédones.

coração dos marujos, pois passam a um passo da morte."[22] 6. Também Arato se aventurou à mesma metáfora: "por uma fina prancha os separa do Hades"; somente, em lugar de terrível, a imagem lhe saiu medíocre e elegante. Ademais, ele limita o perigo dizendo "uma tábua impede a morte"; portanto, impede.

Já o Poeta não limita uma vez por todas o perigo, mas pinta os marujos muitas vezes, constantemente, a cada escarcéu, a um palmo da morte. Outrossim, forçando as preposições, normalmente desunidas, a uma composição não natural, ὑπὲκ θανάτοιο, torturou a expressão à imitação da calamidade iminente e pela compressão do vocábulo representou esplendidamente o desastre, quase imprimindo no estilo a marca do perigo: ὑπὲκ θανάτοιο φέρονται.

7. Procedeu de igual modo Arquíloco no passo do naufrágio e Demóstenes no da chegada da notícia:[23] "Era sobre a tarde", diz ele. Eles depuraram o melhor material, por assim dizer, por ordem de nobreza, e compuseram-no sem entremear de nenhum acréscimo superficial, grosseiro ou pedantesco. Como se praticassem rachaduras e vãos, esses vícios danificam de todo o edifício das grandezas, cujas paredes constitui o mútuo ajustamento das partes.

XI

1. Associa-se às qualidades acima expostas a chamada amplificação, quando, admitindo o assunto e os debates, em seus períodos, muitos inícios e interrupções, o estilo se eleva gradativamente em frases que se acumulam cerradamente umas sobre as outras. 2. Quer isso resulte do desenvolvimento de lugares comuns, quer do encarecimento da realidade, ou dos artifícios, quer ainda do sábio arranjo dos fatos, ou das emoções (pois a amplificação tem milhares de formas), deve o orador, não obstante, saber que, de per si, sem o sublime, nenhum desses meios se manteria eficaz, salvo, por Zeus! para suscitar pena ou para atenuar o vigor; suprimir nas demais formas de amplificação o sublime é como arrancar a alma do corpo; logo se lhe enfraquece e esvazia a eficácia, quando não avigorada pelo condão do sublime.

3. Entretanto, por amor à clareza mesma, cumpre discernir em que diferem da exposição anterior os preceitos de agora (era um es-

22. *Ilíada*, XV, 624.

23. Na famosa *Oração da Coroa*.

boço dos pontos capitais e seu agrupamento numa unidade) e em que de modo geral, se distingue das amplificações o sublime.

XII

1. A mim, com efeito, a definição dos tratadistas não me satisfaz. Amplificação, dizem eles, é uma linguagem que confere grandiosidade ao assunto. Essa definição pode caber indiferentemente ao sublime, à emoção e às figuras, visto como também esses recursos conferem ao discurso certa grandiosidade. A meu ver, a distinção entre eles está em consistir o sublime numa elevação; a amplificação, numa abundância; por isso, o primeiro se acha muitas vezes até num único pensamento, enquanto a segunda se acompanha sempre de quantidade e certa redundância.

2. A amplificação, em síntese, é uma aglomeração de todas as partes e tópicos ligados ao assunto, a qual, pela demorada insistência, reforça um arrazoado; ela difere da prova em que esta demonstra o ponto em debate... (*lacuna no ms.*)... de muita riqueza, muitas vezes se espraia, como um mar, numa preamar de grandeza.

3. Por isso, creio, logicamente, o orador, por ser mais emocional, tem muito calor, inflama-se de paixão, enquanto o outro, sereno em sua gravidade majestosa e magnífica, está longe de ser frio, mas não se contorce tanto.

4. Não em outros aspectos, senão nesse, caríssimo Terenciano, no meu entender (isto é, se também os gregos temos o direito de opinar), difere Cícero de Demóstenes nas passagens grandiosas. Este, com efeito, eleva-se ordinariamente a um sublime alcantilado, enquanto Cícero se espalha. O nosso orador, visto como, por assim dizer, queima e juntamente despedaça tudo com a sua violência e mais a sua rapidez, o seu arroubo, o seu engenho, pode ser comparado a um tufão ou um raio; Cícero, creio, é como uma queimada alastrada, que grassa por toda parte, devoradora, de fogo abundante e duradouro, sempre a arder, distribuído aqui e acolá e realimentado a espaços.

5. Isso, porém, podeis vós outros julgar melhor; mas a oportunidade do sublime demostênico, excessivamente tenso, ocorre nos passos terríveis e nas emoções violentas, quando é preciso abalar totalmente os ouvintes; a oportunidade do alastramento é quando se faz mister inundá-los. Ele ajusta-se aos lugares comuns, às perorações, em geral, às digressões, a todos os desenvolvimentos e passos

de aparato, às narrações e dissertações sobre a natureza e outros não poucos gêneros.

XIII

1. Voltando, todavia, a Platão, ele, embora flua numa correnteza silenciosa, nem por isso deixa de se elevar ao grandioso. Leste a *República*, não desconheces o seu cunho. "Aqueles, diz ele, que não experimentaram a razão e a virtude, sempre metidos em banquetes e quejandos deleites, são puxados, por assim dizer, para baixo; por isso, vagueiam vida em fora, sem jamais erguerem os olhos para a verdade, nem serem alçados até ela, nem provarem um prazer firme e puro; à maneira dos brutos, sempre de olhos baixados, curvados para a terra e para as mesas, repastam-se à tripa forra e copulam; na disputa da satisfação desses apetites, com cascos e aspas de ferro desferem coices e cornadas uns nos outros, entrematando-se em conseqüência da insaciabilidade." [24]

2. Esse homem nos mostra, se não quisermos desdenhá-lo, que, a par dos mencionados, outro caminho leva ao sublime. Que caminho? como é ele? A imitação e inveja dos grandes prosadores e poetas do passado. Apeguemo-nos inseparavelmente a esse propósito, caríssimo amigo. Muitos, com efeito, são inspirados por um sopro alheio, tal como, ao que consta, aproximando-se da trípode, onde, conforme dizem, existe uma fenda da terra, que exala um vapor impregnado de divindade, imediatamente, pelo poder do deus, a pitonisa se torna fecunda e passa logo a oracular segundo a inspiração; assim também, do gênio natural dos antigos para as almas dos que os invejam, fluem, como de algares sagrados, certas emanações, inspirados pelas quais, mesmo os não muito favorecidos do sopro divino se inspiram, contagiados da grandeza dos outros.

3. Teria sido Heródoto o único grande imitador de Homero? Eram-no, ainda antes, Estesícoro e Arquíloco; mais que todos, canalizou Platão para si milhares de regos derivados da famosa fonte homérica. Talvez nos faltassem exemplos, se Amônio e seus discípulos não os tivessem recolhido e classificado.

4. Essa prática não constitui furto; é como um decalque de belos sinetes, de moldados, ou de obras manuais. Parece-me que Platão não faria abrolhar tão belas flores entre pontos doutrinários da filosofia, nem acompanharia amiúde a Homero nas selvas da poesia e das expressões, senão, por Zeus! para, de corpo e alma, disputar com

---

24. *República,* IX. 586 *a.*

ele a primazia, como um competidor jovem em frente dum lutador já de muito admirado; talvez emulasse com demasiado ardor e, por assim dizer, de lança em riste, não, porém, sem proveito; na expressão de Hesíodo, "boa para a humanidade é tal disputa". Belo, na verdade, e merecedor de coroa de glória é esse combate em que mesmo em ser derrotado pelas gerações anteriores não deixa de haver glória.

XIV

1. Logo, também nós, quando elaboramos algum trecho que requeira estilo elevado e pensamento grandioso, é bom formulemos no íntimo a pergunta: como diria isso Homero, se calhasse? como Platão, ou Demóstenes, o alçariam ao sublime? ou Tucídides, na História? Graças à emulação é que acudirão à nossa presença esses vultos e, como que brilhando, erguerão as almas de algum modo às alturas imaginadas.

2. Mais ainda, se esboçarmos em nosso pensamento mais esta indagação: como ouviria Homero, ou Demóstenes, se presentes, alguma coisa que eu dissesse assim? como reagiriam? Em verdade, é um grande pleito imaginário o dum tribunal semelhante e semelhante audiência para nossas próprias expressões, onde prestássemos contas de nossos escritos na presença de tais heróis, juízes e testemunhas.

3. Mais forte estímulo seria acrescentar: se eu tiver escrito isso, como me ouvirá após mim toda a posteridade? Se alguém receasse proferir algo que ultrapassasse a sua vida e o seu tempo, fatalmente abortariam, quais fetos malogrados e cegos, as concepções de sua alma, de todo incapazes de atingir o tempo duma fama póstuma.

XV

1. Também as fantasias, jovem amigo, são muito produtivas de majestade, grandiloqüência e vigor. Pelo menos, nesse sentido é que alguns as chamam *idolopéias*; com efeito, chamamos fantasia indiferentemente todo pensamento que, de qualquer maneira, ocorra capaz de gerar uma palavra; mas hoje em dia o termo prevalece nos casos em que, inspirado e emocionado, parece-te estares vendo o de que falas e o pões sob os olhos dos ouvintes.

2. Que a fantasia tem um objetivo na oratória e outro na poesia não te passa despercebido, nem que o seu fito, na poesia, é ma-

ravilhar e, na oratória, dar vividez, mas uma e outra, além desses efeitos, procuram, não obstante, ao mesmo tempo, excitação: "Mãe, eu te suplico, não estumes contra mim as virgens de olhos de sangue, de aspecto de cobra; ei-las aqui, ei-las aqui, a saltar perto de mim" e "ai de mim! vai-me matar! para onde fugir?" [25] Nesse passo o poeta mesmo viu Eríneas; o que ele fantasia, pouco falta para que force os ouvintes a vê-lo por sua vez.

3. De fato, Eurípides afana-se sobremaneira para dar expressão trágica a estas duas emoções, o desvario e o amor, e não sei se nelas ou em algumas outras é que o assiste a maior felicidade; seja como for, ousadia não lhe falta para se arrojar às demais espécies de imaginação. Embora absolutamente não nascido para o sublime, ele próprio em muitos lugares forçou o seu natural a tornar-se trágico e, de cada vez, nos lances de grandeza, na expressão do Poeta, ele "açoita com a cauda, de ambos os lados, os flancos e ancas, açulando-se para o combate".[26] 4. Ao entregar as rédeas a Faetonte, diz-lhe o Sol: [27] "Dá-lhes rédeas, mas não invadas o éter da Líbia; como não está misturado com umidade, ele fará baixar o teu carro" e prosseguindo: "Mantém o curso no rumo das Plêiades." Ouvido isso, o menino empalmou as rédeas, fustigou os flancos das aladas parelheiras, lançando-as; elas puseram-se a voar nas dobras do éter. Atrás, montando Sírio, cavalgava o pai, ensinando o filho: "Vai naquele rumo! volta o carro deste lado! deste lado!"

Não dirias que a alma do autor ia ao lado, na boléia, correndo o mesmo perigo, voando com os cavalos? pois, se ela não acompanhasse numa corrida igual aquelas proezas pelo céu, jamais teria fantasiado tais ações. Houve-se de igual maneira a respeito de Cassandra: "Pois bem, troianos, amigos de cavalgar..."

5. Ésquilo aventura-se a imaginações do tipo mais heróico, como nos seus *Sete contra Tebas*: "Sete impetuosos capitães, diz ele, degolando um touro num escudo de negros engastes e molhando as mãos no sangue da vítima, juraram solenemente por Ares, Ênio e Fobo sedento de sangue..." comprometer-se reciprocamente a morrer cada um de seu lado sem lamentação; às vezes, porém, ele introduz pensamentos não esmerados, como que de lã bruta, ásperos; no entanto, Eurípides, por emulação, impele a si mesmo a iguais perigos.

---

25. Eurípides, *Orestes,* 255.

26. *Ilíada,* XX, 170.

27. Da tragédia *Faetonte,* de Eurípides, de que se conhecem fragmentos.

6. Em Ésquilo, a régia de Licurgo, quando do aparecimento de Dioniso, estranhamente entra em êxtase: "O palácio cai em transe, o teto delira"; a mesma imagem, atenuada, exprime Eurípides noutras palavras: "A montanha toda participa da bacanal."[28]

7. Igualmente Sófocles imaginou supernamente a Édipo moribundo sepultando a si mesmo entre prodígios celestes, bem como a Aquiles, no momento da partida dos gregos, aparecendo sobre o seu túmulo aos que embarcavam, quadro que não sei se alguém pintou com mais vida do que Simônides.

8. Exemplificar tudo seria impraticável. Todavia, os exemplos colhidos nos poetas, como eu dizia, encerram uma exageração mítica, que transcende por demais a credibilidade, enquanto o mais belo da imaginativa oratória consiste sempre em sua possibilidade e verossimilhança. As violações desta norma são chocantes, estranhas; em discursos de estrutura poética e fabulosa, descambam num conglomerado de impossíveis, como, por Zeus! fazem os modernos oradores entre nós; à maneira dos trágicos, eles vêem Eríneas, incapazes de compreender, esses bem-nascidos, uma coisa: Orestes, quando diz "Larga-me! és uma de minhas Eríneas e me agarraste pela cintura para me derrubar no Tártaro",[29] imagina isso por estar delirando.

9. Qual, então, o condão da fantasia na oratória? Talvez carrear para os discursos grande variedade de lances veementes e patéticos; misturada à argumentação real, sobre convencer os ouvintes, avassala-os. "Sem dúvida, diz Demóstenes,[30] se, neste mesmo instante, se ouvisse um alarido diante do tribunal e alguém então dissesse "Abriram as portas da cadeia e os presos estão escapando", não há velho ou jovem tão negligente que não acudisse na medida de suas forças; e mais, se alguém assomasse para dizer "foi esse homem quem os soltou", o indicado seria morto no mesmo instante, sem uma palavra de defesa."

10. Foi assim, por Zeus! que, acusado em justiça por ter decretado a libertação dos escravos depois da derrota, Hiperides disse: "Esse decreto não foi o orador quem o propôs, foi a batalha de Queronéia." Ao mesmo tempo que arrazoava, o orador empregou a imaginação, de sorte que, com esse pensamento, foi além do alcance da persuasão.

---

28. *Bacantes,* 726.

29. Eurípides, *Orestes,* 264.

30. *Timócrates,* 208.

11. Em todos os casos semelhantes, naturalmente sempre ouvimos a palavra mais forte; assim, somos distraídos da demonstração para o efeito impressionante da fantasia, que ofusca a argumentação real com o brilho difundido em derredor. O que se passa conosco é normal; postas lado a lado duas causas, sempre a mais forte atrai para si o poder da outra.

12. É quanto bastará a respeito do sublime nos pensamentos, gerado pelos sentimentos elevados, pela imitação ou pela fantasia.

XVI

1. Tem seu lugar aqui, em continuação, o estudo das figuras, pois, se empregadas da maneira devida, como disse, serão parte não secundária do sublime. Contudo, como aprofundar todas agora seria um trabalho longo, melhor, infindável, examinaremos umas poucas, as capazes de criar a grandiloqüência, com propósito de corroborar o que dissemos atrás.

2. Demóstenes apresenta uma exposição de sua atuação política. Qual era a forma natural dela? "Não errastes vós, que assumistes os riscos da luta pela liberdade da Grécia; tendes exemplos desse gesto em casa, pois não erraram os heróis de Maratona, nem os de Salamina, nem os de Platéias." [31] Mas, quando, como se recebesse de súbito inspiração divina, possuído, por assim dizer, de Febo, proferiu o juramento pelos heróis da Hélade: "Não é possível que tenhais errado, juro-o pelos que afrontaram perigos outrora em Maratona!" evidencia-se que, por meio apenas duma figura de juramento, que eu aqui chamo apóstrofe, ele endeusa os antepassados, sugerindo que se deva jurar pelos que assim morreram como se jura pelos deuses; inspira nos seus juízes o ânimo dos que lá tinham arrostado os perigos; transformada a exposição num sublime e numa emoção soberba, com a força de persuasão dum juramento novo e extraordinário, ao mesmo tempo ministra às almas dos ouvintes uma palavra salutar, um antídoto, de sorte que os leva, reconfortados pelos louvores, a considerar a batalha contra Filipe como em nada inferior às vitórias de Maratona e Salamina.

Em toda essa passagem foi graças à imagem que ele pôde arrebatar consigo os ouvintes. 3. Dizem, porém, que o germe do juramento se encontrava em Êupolis: [32] "Pela minha batalha de Marato-

31. *Oração da Coroa*, 208.

32. Comediógrafo do século V a. C.

na! nenhum deles magoará meu coração impunemente!" Nem todo juramento, porém, é grandioso; depende do lugar, do modo, das circunstâncias, do motivo. Ali nada existe além dum mero juramento, diante de atenienses ainda prósperos, não precisados de conforto; ademais, o poeta, jurando, não imortalizou os homens a fim de criar nos ouvintes um conceito digno do valor deles, mas derivou dos que tinham afrontado os perigos para um ente inanimado, a batalha. Em Demóstenes, porém, o juramento foi preparado para um auditório de vencidos, para que os atenienses não mais vissem em Queronéia um desastre; como dizia, é, ao mesmo tempo, uma demonstração de que nenhum erro houvera, um exemplo, uma garantia jurada, um louvor, um encorajamento.

4. Uma objeção se opunha ao orador: "Falas duma derrota causada pela tua política e juras em nome de vitórias?" Por isso, prosseguindo, ele mede as palavras, escolhe-as com segurança, ensinando que "mesmo nos transportes orgíacos importa a temperança". [33] Diz ele: "os que afrontaram perigos em Maratona, os da batalha naval de Salamina e de Artemísio, os alinhados em Platéias"; em lugar nenhum falou em vencedores, mas em toda parte calou o nome do resultado, por ser o dum bom sucesso, ao inverso de Queronéia. Por isso, antecipando-se a objeções dos ouvintes, logo acrescenta: "A cidade, Ésquines, distinguiu com funeral a expensas públicas a todos eles, não apenas aos bem sucedidos."

XVII

1. Vale a pena, caríssimo amigo, nesta altura, não deixar de lado uma observação minha; serei extremamente conciso. As imagens, de certo modo, são aliadas naturais do sublime e acham nele, por sua vez, uma aliança maravilhosa. Onde e como? Di-lo-ei. É particularmente suspeito o uso inescrupuloso de imagens; insinua a desconfiança duma cilada, maquinação, embuste, e isso quando o discurso é pronunciado diante dum juiz soberano, maxime ante tiranos, reis, imperadores, quantos exerçam poder supremo; quem um artista da palavra procura embair com figuras de estilo, como a uma criança ingênua, irrita-se logo e, tomando a falácia como afronta à sua pessoa, exaspera-se às vezes em extremo e, mesmo quando domina os ímpetos, dispõe-se

33 Eurípides, *Bacantes*, 317.

a resistir absolutamente às palavras persuasivas. Por isso, parece excelente a figura quando precisamente não deixa transparecer que o é.

2. Assim, pois, o sublime e o patético constituem um antídoto e auxílio maravilhoso contra a suspeição despertada pelo uso de figuras; o embaimento, de certo modo aureolado de beleza e grandiosidade, daí por diante encoberto, escapa a toda desconfiança. Prova cabal é o citado "juro pelos que em Maratona". Nesse lugar, com que ocultou o orador a figura? É claro que com o brilho mesmo. Mais ou menos como as luzes baças esvaecem quando rodeadas do brilho do sol, o grandioso, derramado em redor dos artifícios, obscurece-os.

3. Disso talvez não difira muito o que acontece na pintura: embora postas em cores, lado a lado, no mesmo plano, a sombra e a luz, esta se oferece melhor à vista e aparenta estar não só em relevo, mas muito mais perto. Nos discursos, pois, o patético e o sublime, mais aproximados de nossa alma, graças a uma afinidade natural e ao brilho, sempre se mostram antes das figuras, obumbrando e mantendo encoberto o artifício destas.

XVIII

1. E que diremos das perguntas e respostas? Não é justamente pela sua natureza específica de figuras que elas avigoram o discurso com muito mais energia e ímpeto? — "Quereis, dizei-me, circular por aí perguntando uns aos outros o que se diz de novo? Que novidade maior haveria do que a dum homem da Macedônia desbaratando a Grécia? Morreu Filipe? — Não, mas está doente, por Zeus! — Que diferença faz isso para vós? pois, se algo lhe acontecer, logo vós fabricareis um outro Filipe." [34] Noutro passo, diz: "Naveguemos para a Macedônia. — Onde arribaremos? perguntará alguém. — A guerra mesma achará o ponto fraco dos negócios de Filipe." Dito em termos singelos, o pensamento seria de todo frustrâneo, mas o teor inspirado, a troca viva de perguntas e respostas e a réplica às suas próprias palavras como se fossem de outrem, tornaram a passagem, graças às figuras, não só mais elevada, como também mais convincente.

2. De fato, o patético é mais empolgante quando não parece premeditado pelo orador e sim nascido do momento; ora, a pergunta feita a si próprio e a resposta simulam uma emoção espontânea. Dir-se-ia que, assim como aqueles a quem outros dirigem a palavra se

---

34. *Filípica* I.

alvoroçam para responder prontamente, com veemência e real sinceridade, assim a figura de pergunta e resposta leva o ouvinte a pensar que cada um dos lances, preparados com esmero, acaba de ser suscitado e proferido de improviso, e com isso o ilude. Ademais, visto como se considerou um dos exemplos mais sublimes este passo de Heródoto: "Se assim... (*lacuna no ms.*)

XIX

... sem conexão, as palavras vão caindo e, por assim dizer, se derramam adiante, pouco faltando para se anteciparem ao próprio orador. "E chocando uns contra os outros os escudos, diz Xenofonte,[35] empurravam-se, lutavam, matavam, morriam." E Euríloco:[36] "Como mandaste, nobre Odisseu, atravessamos o carvalhal; na baixada, deparou-se-nos uma bela mansão construída..." Efetivamente, as frases, desligadas umas das outras, nem por isso menos fluentes, dão a impressão de alvoçoro, a um tempo peando e propelindo. Esse efeito, o Poeta obteve-o por meio do assíndeto.

XX

1. Tem comumente a maior força emotiva a associação das figuras num propósito comum, quando duas ou três, como numa simoria,[37] colaboram na busca do vigor, da persuasão, da beleza, quais os assíndetos entrelaçados com as anáforas e diatiposes[38] no discurso contra Mídias: "Muitos danos pode o agressor fazer com a atitude, com os olhos, com a voz, alguns dos quais a vítima não seria capaz de descrever a um terceiro." 2. Depois, para que o discurso não se detivesse no mesmo terreno (pois demorar-se é sinal de serenidade; agitar-se, de emoção, pois esta é impulso e comoção da alma), logo ele saltou a outros assíndetos e epanáforas: "com a atitude, com o olhar, com a voz, quando golpeia com insolência, quando como inimigo, quando com os punhos, quando como a um escravo."

---

35. *Agesilau,* II, 12.

36. *Odisséia,* X, 251.

37. União dos sessenta atenienses mais ricos para acudirem a despesas extraordinárias do Estado.

38. Descrição viva em discurso. O exemplo é de Demóstenes.

Com essas figuras, o orador nada mais faz do que agir tal qual o agressor; ele vibra na mente dos juízes golpe sobre golpe. 3. Em seguida, à semelhança dos furacões, numa nova investida, diz: "quando golpeia com os punhos, quando numa face, isso move, isso desatina as pessoas não habituadas a sofrer ultrajes; ninguém, contando, poderia fazer sentir todo o horror dessa brutalidade." Ele, portanto, conserva em toda parte a essência das epanáforas e assíndetos pela variação continuada; assim, nele, a ordem é uma coisa desordenada e, ao invés, a desordem envolve certa ordem.

XXI

1. Vamos, acrescenta, se queres, os conetivos, como fazem os discípulos de Isócrates: [39] "Na verdade, não devemos esquecer que o agressor podia causar muitos danos: primeiramente, com a atitude, depois com o olhar e finalmente com a voz mesma." Verás como, usando essa marcação seguida, até alisá-lo com os conetivos, cai sem ferrão e depressa se apaga o pressuroso e áspero da emoção.

2. Privaria da velocidade os atletas corredores quem os amarrasse uns nos outros; assim também a emoção ressente-se do embaraço dos conetivos e de outros acréscimos, porque perde a liberdade de correr e a impressão de ter sido disparada duma catapulta.

XXII

1. Cumpre incluir na mesma categoria o hipérbato, figura pela qual a ordenação das palavras e pensamentos é tirada da seqüência regular; é, por assim dizer, o mais verdadeiro cunho duma emoção violenta. As pessoas realmente encolerizadas, apavoradas, indignadas ou arrebatadas ordinariamente pelos ciúmes ou por alguma outra paixão (pois as emoções são variadas e inúmeras, sem que se possa dizer quantas sejam), muitas vezes, iniciam um assunto, saltam para outro, intercalam, de passagem, incisos descabidos, depois, numa viravolta, tornam ao primeiro e, completamente transtornadas, impelidas como ao sopro dum repiquete em giros súbitos de cá para lá, mudam as palavras, mudam os pensamentos e, de todos os modos, em mil e

39. Contemporâneo de Platão, ensinava oratória. Entre seus discípulos se contam grandes oradores gregos. Desenvolveu o estilo periódico e sua linguagem era esmerada em extremo.

uma voltas, mudam a ordem para fora do encadeamento natural; igualmente, nos melhores escritores, graças aos hipérbatos, a imitação encontra seu modelo nos efeitos da natureza, pois a arte é acabada quando com esta se parece e, por sua vez, a natureza é bem sucedida quando dissimula a arte em seu seio.

Por exemplo, a fala de Dionísio da Focéia em Heródoto: [40] "Repousa no fio duma navalha, jônios, a sorte de sermos livres ou escravos, e escravos tratados como fugidos! Agora, pois, se quiserdes aceitar fadigas, vós tereis canseiras logo, mas sereis capazes de superar os vossos inimigos." 2. Aqui a ordenação seria: "Jônios, agora é ocasião de meter ombros ao trabalho, pois a nossa sorte repousa no fio duma navalha." Mas ele transpôs *jônios*; partiu logo da idéia assustadora; nem mesmo, a pressa, sob a pressão da ameaça presente, solicitou em primeiro lugar a atenção dos ouvintes; depois, inverteu a ordem dos pensamentos, pois antes de dizer que era preciso enfrentar fadigas (pois para isso é que os queria exortar), primeiramente deu as razões por que eram necessárias fadigas, dizendo "repousa no fio duma navalha a nossa sorte", de modo que aparentasse proferir não frases preparadas, senão aquelas a que o constrangia a necessidade.

3. Ainda muito mais hábil é Tucídides em afastar umas das outras, por meio de hipérbatos, idéias por natureza intimamente unidas e inseparáveis. Demóstenes não é tão ousado quanto ele, mas, dentre todos, é quem menos se farta do emprego dessa figura e, graças às inversões, dá impressão de veemência e ainda, por Zeus! de improvisar o discurso; além disso, arrasta os ouvintes ao perigo dos longos hipérbatos. 4. Amiúde, com efeito, deixado em suspenso o pensamento começado a exprimir, entrementes, como se estivesse entulhando o vão com idéias roladas dalgum lugar de fora, numa ordem de outro gênero e esquisita, incute no ouvinte o receio duma completa desagregação do discurso, forçando-o a compartir, angustiado, os seus riscos; depois, de surpresa, ao cabo de longo tempo, profere, oportunamente, o termo desde muito procurado e causa, justamente pela arriscada ousadia das inversões, uma impressão muito mais profunda. Poupemos, porém, os exemplos; são tantos!

XXIII

1. Outrossim, os chamados poliptotos, as acumulações, as metáboles e gradações, muito adequadas, como sabes, ao debate, con-

---

40. VI, 11.

tribuem para o ornamento e para toda sorte de sublime e de emoção. E que variedade e viveza dão às expressões as enálages de caso, tempo, pessoa, número e gênero!

2. Dentre as substituições de número, digo que dão beleza não apenas aquelas que, sob a forma do singular, examinadas de perto se revelam plurais no significado: "Logo, diz ele, uma multidão incontável espalhada na praia exclamava: Atum! atum!" Mais atenção, porém, merece o fato de ser nalguns lugares mais imponente o plural e, graças à idéia de multidão do número, mais majestoso. 3. Assim é a fala de Édipo em Sófocles: "Núpcias! Núpcias! vós me gerastes e, depois de me haverdes gerado, lançastes outra vez a mesma semente e mostrastes à luz pais, irmãos, filhos, assassínio em família, noivas a um tempo mães e esposas, todas as vergonhas possíveis na espécie humana!" [41]

Toda essa enumeração vale por um único nome, Édipo, e, doutro lado, Jocasta; porém, dissolvido em plurais, o número pluralizou também as desgraças.

Igual multiplicidade em "saíram Heitores e Sarpédones" e o passo de Platão sobre os atenienses, que citamos alhures: [42] 4. "Pois nem Pélopes, nem Cadmos, nem Egitos, nem Dânaos, nem outros numerosos, nascidos bárbaros, coabitam conosco, mas nós mesmos, gregos, não mestiçados com bárbaros, habitamos. . ." etc.

Os fatos, naturalmente, ouvimo-los mais grandiloqüentes, com os nomes assim aglomerados. Contudo, esse artifício não deve ser usado noutras circunstâncias, senão apenas onde o assunto comporta ufania, ou redundância, ou exagero, ou paixão, um ou mais desses predicados, porquanto pendurar cincerros por todo o texto é demasiada afetação.

XXIV

1. Às vezes, todavia, máxima elevação resulta, ao contrário, da redução do plural ao singular: "Depois, todo o Peloponeso estava dividido" diz Demóstenes. [43] "E quando Frínico encenou o drama

41. *Rei Édipo.*

42. *Menéxeno,* 245 *d.*

43. *Oração da Coroa,* 18.

Tomada de Mileto, o teatro caiu em prantos"; [44] reunir num só os elementos divididos aumenta no número a impressão dum corpo único.

2. Penso que a beleza das duas figuras tem a mesma causa; onde as palavras estão no singular mudá-las em plural causa emoção inesperada; onde elas estão no plural, unificá-las num termo singular de sonância agradável surpreende pela transformação das coisas em seu oposto.

XXV

Quando representas como acontecendo no presente fatos ocorridos no passado, farás do discurso não mais uma narrativa, mas um drama real. "Um soldado, diz Xenofonte,[45] que tombara sob o cavalo de Ciro e está sendo pisoteado, golpeia com a espada o ventre do animal; este cabriteia e deita Ciro em terra." Tucídides emprega essa figura amiúde.

XXVI

1. Igualmente dramática a mudança de pessoa gramatical; muitas vezes faz o ouvinte sentir-se às voltas com os perigos: "Dirias que descansados e indobráveis se defrontavam na guerra, tão impetuosamente combatiam" e Arato: "Naquele mês não te circundem ondas do mar."

Mais ou menos assim fala Heródoto: [46] 2. "Zarparás de Elefantina rio acima; chegarás então a uma planície rasa; atravessada essa região, embarcarás noutro navio, navegarás dois dias e então chegarás a uma cidade grande, chamada Méroe." Estás vendo, amigo, como, levando consigo tua alma, ele a conduz através dos lugares, mudando a audição em visão? Todas essas figuras apoiadas na pessoa mesma situam o ouvinte bem no centro das ações.

3. Quando falas, não como a todos, mas como a um só, dizendo: "Não saberias com qual dos dois exércitos lutava o filho de Tideu", [47] deixarás o ouvinte emocionado e ao mesmo tempo mais atento, cheio de interesse na luta, despertado pelas palavras dirigidas à sua pessoa.

---

44. Heródoto, VI, 21. A peça de Frínico mostrava o sofrimento dos milésios sob a crueldade persa.

45. *Ciropedia*, VII, 1, 37.

46. II, 29.

47. *Ilíada*, V, 85.

XXVII

1. Por vezes também, numa narração, subitamente arrebatado, o escritor toma o lugar da personagem mesma; uma imagem desse gênero é emoção explodindo: "Heitor em altos brados exortava os troianos a atacar os navios e abandonar os despojos sangrentos: "Se eu vir alguém voluntariamente longe dos navios, cuidarei de sua morte imediata"." [48] O Poeta, portanto, assumiu pessoalmente, como convinha, a narração, mas, de súbito, sem o declarar, atribuiu ao comandante a ameaça abrupta; a passagem arrefeceria, se ele inserisse: "Heitor disse isto e mais aquilo", mas a transferência da palavra se antecipa de repente a quem a fazia.

2. Por isso é que o uso dessa figura se dá quando o momento, tornado crítico, não admite uma demora do escritor, mas o constrange a passar logo duma pessoa gramatical a outra, como em Hecateu: [49] "Mas Ceix, considerando terrível a situação, prontamente mandou os Heraclidas e descendentes deixar o país: "Pois não estou em condições de vos socorrer. Assim, para não perecerdes vós próprios, nem me causardes dano, retirai-vos para junto doutro povo."

3. Demóstenes, falando contra Aristogíton, conferiu doutro modo emoção e rapidez à mudança de pessoa: "E não se achará, diz ele, entre vós ninguém a quem assome bile e cólera diante das violências desse infame sem pudor, que... Tu, o mais impuro do mundo, trancada tua liberdade de palavra, não por barras nem por portas, que alguém poderia entreabrir..." Com o pensamento por completar, muda a frase de súbito e quase a reparte, por causa da cólera, entre duas pessoas ("que... Tu, o mais impuro"); então, desviando e parecendo abandonar o discurso contra Aristogíton, na verdade, graças à emoção, volta-o contra ele com muito mais veemência.

4. Igualmente Penélope: [50] "Arauto, a que recado te mandaram os fidalgos pretendentes? a dizer às servas do divinal Odisseu que deixem as suas tarefas para lhes aprontar o seu festim? Oxalá tivessem aqui agora o seu derradeiro e final banquete sem nunca me haverem cortejado nem sequer conhecido! Aqui arranchados, esbanjais demasiado sustento... Não ouvistes outrora, quando éreis crianças, vossos pais contar que pessoa era Odisseu...?"

---

48. *Ilíada,* XV, 346.

49. Historiador e geógrafo do século VI a. C., precursor de Heródoto.

50. *Odisséia,* IV, 681.

XXVIII

1. Ninguém, creio, duvidaria que a perífrase contribui para o sublime. Com efeito, como, na música, o acompanhamento torna mais agradável a melodia principal, assim a perífrase muitas vezes soa harmoniosamente com a expressão precisa e do acorde resulta grande beleza, sobretudo se nada ocorrer de empolado e dissonante, mas sim uma mistura apreciável.

2. Uma prova cabal disso nos dá Platão no exórdio da *Oração Fúnebre*: [51] "Na verdade, eles receberam de nós o tributo devido e, assim galardoados, prosseguem a caminhada do destino, escoltados, em comum, pela cidade e, em particular, pelos seus parentes." Portanto, ele chama à morte *caminhada do destino* e às honrarias tradicionais tributadas uma *escolta pública da pátria*. Com essa linguagem, enfatizou ele o pensamento moderadamente, ou, tomando uma expressão singela a fez musical, banhando-a com a melodia da perífrase como num acorde?

E Xenofonte: [52] 3. "Considerais as fadigas como guias duma vida agradável; agasalhastes em vosso ânimo o tesouro mais belo e condigno de guerreiros; o louvor vos causa mais alegria do que tudo na vida." Em vez de dizer "amais as fadigas", ele disse "considerais as fadigas como guias duma vida agradável" e desenvolveu o resto de maneira semelhante; com isso, envolveu o conceito grandioso num elogio. 4. E mais o passo inimitável de Heródoto: [53] "Aos citas que tinham depredado o templo a deusa enviou uma doença feminina."

XXIX

1. Mais, porém, que as outras figuras, é a perífrase coisa perigosa, quando empregada sem certa medida, pois logo degenera em fraqueza, tresandando a palanfrório espesso. Daí ter sido alvo de mofa o mesmo Platão (sempre extraordinário no emprego de figuras, embora por vezes fora de propósito), por dizer nas leis que "não se deve permitir fixe residência na cidade riqueza argêntea ou áurea",

---

51. *Menéxeno,* 236 *d.*

52. *Ciropedia,* I, 5, 12.

53. I, 105. Aos atacados da moléstia, aplicavam os citas um nome correspondente a hermafrodito.

pois, dizem, se ele proibisse a posse de rebanhos, falaria, é claro, em riqueza ovina ou vacum.

2. Mas, caríssimo Terenciano, digressionando sobre o uso de figuras com vistas ao sublime, discorreu-se bastante; todas elas conferem ao discurso mais patético e mais emoção; e do sublime faz parte o patético tanto quanto, do agradável, a pintura de caracteres.

XXX

1. Como, porém, no discurso, as mais das vezes o pensamento e a linguagem se implicam mutuamente, prossigamos e examinemos mais se resta ainda por estudar algum item concernente ao estilo.

Discorrer sobre como a escolha dos vocábulos próprios e magníficos maravilha e fascina os ouvintes e constitui a máxima preocupação de todo orador e todo escritor, porque, florindo de per si, depara aos discursos, como a esculturas belíssimas, a um tempo grandiosidade e beleza, verniz clássico, peso, força, vigor e ainda certo brilho, como se comunicasse aos fatos uma alma dotada de voz, receio seja um supérfluo esclarecimento a quem já o sabe. Realmente, a beleza das palavras é luz própria do pensamento.

2. Entretanto, a pompa do vocabulário nem sempre é vantajosa, pois empregar em assuntos de pouca monta palavreado grandioso e solene pareceria o mesmo que assentar uma grande máscara trágica numa criancinha. Verdade é que na poesia... (*lacuna no ms.*)

XXXI

1. ... almo e fecundo este passo de Anacreonte: [54] "Já não me importa a poldrinha da Trácia." Por igual razão, embora menos louvável, esta frase de Teopompo [55] me parece, pela metáfora analógica, muito expressiva; censurada por Cecílio não sei por que: "Filipe suportava com incomum facilidade uma dieta de insultos." O termo vulgar é às vezes muito mais expressivo do que o requintado; colhido na linguagem comum, é compreendido prontamente e o que nos é familiar já nos inspira mais confiança. Por isso, dito de quem suporta com ânimo e prazer, por ambição, a ignomínia sórdida, *dieta de insultos* compreende-se com a máxima clareza.

---

54. Poeta lírico do século VI a. C.

55. Historiador e orador do século IV a. C.

2. Mais ou menos o mesmo se dá com este passo de Heródoto:[56] "Cleômenes enlouquecido cortou com um punhal sua própria carne em pedacinhos até, depois de fazer de si um picadinho, morrer" e "Pites combateu a bordo até ficar totalmente trinchado".[57] Essas expressões raiam pela vulgaridade, mas escapam ao vulgar graças à expressividade.

XXXII

1. Quanto ao número de metáforas, Cecílio parece concordar com os outros que autorizam o alinhamento de duas ou no máximo três sobre o mesmo assunto. Demóstenes, ainda, é a regra neste particular; a do emprego, é a ocasião; quando as emoções se precipitam torrenciais, arrastam consigo como inevitável a multidão delas. 2. "Homens impuros, diz ele, bajuladores, mutiladores da pátria, que beberam a liberdade à saúde, primeiro, de Felipe e, agora, de Alexandre, que medem a felicidade pelo estômago e pelo baixo-ventre e deitaram de catrâmbias a liberdade e a ausência de quaisquer amos, privilégio que representava para os gregos de antanho a medida e a lei da felicidade."[58] Aqui a exaltação do orador contra os traidores obumbra a abundância dos tropos.

3. Daí dizerem Aristóteles e Teofrasto que são suavizadores das metáforas ousadas os *como se, por assim dizer, se assim se deve dizer* e *se é preciso falar com mais temeridade*; a escusa, dizem, remedeia o atrevimento. 4. Eu aceito essa explicação; não obstante, como disse a propósito das figuras, repito que as emoções fortes em ocasião certa e o sublime genuíno constituem antídotos específicos da abundância e ousadia das metáforas, porque eles, com a veemência de seu movimento, são de natureza tal que arrebatem e levem adiante tudo mais, ou, melhor, exijam absolutamente como imprescindíveis as metáforas ousadas e não deixem ao ouvinte folga para reparar no número delas, porque se contagiou do entusiasmo do orador.

5. Aliás, no uso de lugares comuns e descrições, nada é tão significativo como uma seqüência cerrada de tropos. Graças a eles, a anatomia do corpo humano é pintada por Xenofonte magnificamente e, mais ainda, divinamente, por Platão.[59] Este chama a cabeça uma

---

56. VI, 75.
57. VII, 181.
58. *Oração da Coroa,* 296.
59. *Timeu,* 65 *c* e seguintes.

acrópole; o pescoço, um istmo construído entre ela e o peito; as vértebras, diz ele, foram assentadas à maneira de dobradiças; o prazer é para os homens a isca do mal; a língua, pedra de toque do gosto; o coração, nó das veias e fonte do sangue que circula vigorosamente; foi postado na sala da guarda; os condutos do corpo ele denomina desfiladeiros; "aos pulos do coração na expectativa dum perigo e no despertar da cólera, pois que era ardente, os deuses deram um jeito, diz ele, implantando a forma do pulmão, macia e sem sangue, de interior poroso, espécie de estofado, para que, quando a cólera fervesse nele, ao saltar contra algo que amortecesse o choque, não se magoasse". Ao quarto dos desejos ele chamou apartamento das mulheres; ao da cólera, o dos homens; o baço, toalha das vísceras, que, por isso, quando cheio das impurezas removidas, se avoluma, grande e malsão. "Depois disso, diz ele, os deuses cobriram de carne todos esses órgãos, opondo-a, como um forro de lã, aos perigos externos." Ele chamou ao sangue alimento da carne. "Para fins de nutrição, diz ele, eles rasgaram canais pelo corpo todo, à semelhança dos regos dos jardins, de sorte que pelo corpo, sulcado por toda parte, corressem os fluxo das veias como saídos dum arroio." Quando chega o fim, diz ele, desatam-se, como amarras dum navio, os laços da alma e ela solta-se, livre.

6. Esses e milhares de exemplos semelhantes se deparam em continuação; bastam os assinalados para mostrar a grandiosidade natural das figuras, a contribuição das metáforas para o sublime e o quanto ganham com elas as passagens patéticas e as descritivas.

7. Já é, todavia, evidente e escusado dizer que o uso das figuras, como de todos os demais ornamentos do estilo, conduz sempre ao excesso. A isso se pegam os críticos para atassalhar especialmente a Platão, alegando que muitas vezes um transporte báquico de eloqüência o arrasta a metáforas desapoderadas e rudes, a alegorias bombásticas. "Não é, pois, fácil conceber, diz ele, deva uma cidade ser uma mistura como num canjirão, onde o vinho, ao ser derramado, ferve com fúria, mas, castigado por um outro deus sábio e associado à sua nobre companhia, proporciona uma bebida boa e moderada."[60] Chamar deus sábio à água, castigo à mistura, dizem, é de poeta deveras nada sóbrio.

8. Deitando mão a falhas como essa é que Cecílio, em seus escritos em louvor de Lísias,[61] teve a coragem de declará-lo em tudo

---

60. *Leis,* VI, 773 *c.*

61. Logógrafo do século V a. C.

superior a Platão; usou de dois sentimentos prejudiciais à crítica; amando a Lísias mais que a si mesmo, ainda assim vota mais ódio a Platão do que amor a Lísias. Mas ele deixou-se dominar pela pervicácia e, ao contrário do que ele imagina, os seus pontos de vista não gozam de aceitação geral; com efeito, ele coloca o orador, impecável e límpido, acima de Platão, carregado de falhas. Em verdade, não era nada assim, nem aproximadamente.

XXXIII

1. Sus, tomemos um escritor deveras límpido e irrepreensível. Não vale a pena submeter a um exame geral exatamente este ponto: se, em poesia e prosa, devemos preferir uma grandeza com alguns defeitos, ou uma mediocridade correta, em tudo sã e impecável? E também, por Zeus! se a preeminência na literatura cabe, por justiça, às virtudes mais numerosas, ou às maiores?

Perguntas próprias ao estudo do sublime, requerem solução a qualquer preço. 2. Eu cá, no entanto, sei que as naturezas demasiado grandes são as menos estremes; a precisão em tudo acarreta o risco da mediania e nos grandes gênios, assim como na excessiva riqueza, alguma coisa se há de negligenciar; talvez seja também inevitável, por jamais se exporem a perigos, nem aspirarem às alturas, permanecerem comumente irrepreensíveis e mais seguras as naturezas humildes e medianas, e estarem as grandes, por causa da grandeza mesma, sujeitas a cair.

3. Aliás, tampouco ignoro que nós, naturalmente olhamos todas as ações humanas antes pelo lado pior e que a lembrança dos erros permanece indelével, enquanto a das belas ações cedo se escoa. 4. Eu mesmo já registrei não poucas falhas de Homero e dos outros maiores escritores; os defeitos não me proporcionaram o mínimo prazer; contudo, não os considero faltas voluntárias de bom gosto, senão lapsos casuais, produto inadvertido de incúria da genialidade; ainda assim, penso, embora as maiores perfeições não mantenham o seu nível em toda parte, devem receber sempre o voto para o primeiro prêmio, se por nenhum outro motivo, pela sua própria elevação.

Na verdade, Apolônio,[62] nas *Argonáuticas*, é um poeta impecável e Teócrito[63] na poesia pastoral, salvo em poucos assuntos estra-

62. Apolônio de Rodes, poeta épico do século III a. C.

63. Poeta do século IV a. C., a quem Vergílio imitou nas *Éclogas*.

nhos, foi extraordinariamente feliz; quererias, por isso, ser antes Apolônio do que Homero?

2. E que dizer de Eratóstenes [64] na *Erígone*? Esse poemeto é irrepreensível de ponta a ponta. Será ele, por isso, poeta superior a Arquíloco, que enxurrava muitos versos mal arrumados, e ao seu jorro de inspiração divina, que seria desprazível ter de sujeitar a normas? E na poesia lírica? Quererias ser antes um Baquílides [65] do que um Píndaro? [66] E na tragédia, por Zeus! antes ser um Íon de Quios [67] do que um Sófocles? Realmente, os primeiros são impecáveis e nos seus cinzelados tudo é belamente escrito, enquanto Píndaro e Sófocles, embora às vezes pareçam tudo incendiar no seu arroubamento, muitas vezes inesperadamente se apagam e se estatelam em quedas as mais desastradas. E alguém em juízo perfeito, reunidas todas as obras de Íon, trocaria por elas uma só tragédia, a de *Édipo*?

XXXIV

1. Se o bom êxito se devesse julgar pelo número e não pela grandeza, em tudo se avantajaria Hiperides a Demóstenes. Ele varia mais os tons, conta mais virtudes, atinge, pode-se dizer, quase o ápice em tudo e é comparável ao competidor do pentatlo que em todas as disputas perdesse dos demais atletas, mas ganhasse dos amadores.

2. Hiperides, realmente, além de imitar em tudo, fora o bom arranjo, as perfeições de Demóstenes, ainda abarcou as virtudes e louçanias de Lísias. Fala com simplicidade onde é preciso e não, como se diz de Demóstenes, tudo de enfiada e num só tom; a característica dos costumes tem nele o tempero da doçura ou da acidez; não têm conta seus asteísmos, seus motejos ricos de urbanidade, sua fidalguia, seu fácil manejo da ironia, seus sarcasmos, no estilo dos famosos *áticos*, [68] nem soezes nem de mau gosto, mas bem aplicados, suas zombarias bem dirigidas, sua comicidade abundante, seu aguilhão provido de galhofa certeira, seu inimitável encanto em todos esses dons e seus excelentes

64. Poeta e polígrafo do século III a. C.

65. Poeta do século V a. C.

66. Poeta do século V a. C., autor principalmente de epinícios celebrando atletas.

67. Poeta do século V a. C., autor de tragédias e ditirambos.

68. Famosa lista de oradores áticos, elaborada na antigüidade: Andócides, Antifonte, Demóstenes, Dinarco, Ésquines, Hiperides, Iseu, Isócrates, Licurgo e Lísias.

dotes naturais, quer para mover a piedade, quer para narrativas profusas e para fugir do assunto na fluidez dum clímax e voltar com extrema flexibilidade, como, por certo, na passagem, antes poética, a respeito de Latona, dum lado, e, doutro, na *Oração Fúnebre*, de magnificência que não sei se algum outro lograria.

3. Demóstenes, porém, sai-se mal nas etopéias, nem é profuso, nada tem de fluido, nem de ostentoso, nem participa em geral de todas as qualidades acabadas de referir. Por isso, quando se violenta para ser divertido e espirituoso, suscita mais risota do que risadas; quando deseja chegar perto de ser gracioso, então mais longe fica de o ser. Se se aventurasse a escrever o pequeno discurso em defesa de Frine, ou contra Atenógenes, ainda maior realce daria a Hiperides.

4. Não obstante, penso, as belas qualidades de um, ainda que numerosas, carecem de grandeza e não afetam *corações jejunos*, deixando calmo o ouvinte — pois ninguém sente medo quando lê Hiperides — ao passo que o outro colhe na sua extraordinária genialidade e conduz à mais alta perfeição estas qualidades: intensidade do estilo sublime, emoções vivas, redundância, presença de espírito, rapidez onde cabe, veemência e vigor inatingíveis a outros; visto isso, após sorver em massa esses poderosos dons divinos (que não é justo chamá-los humanos), graças a eles, com os belos recursos que tem, sempre vence a todos e, para remédio dos que lhe faltam, como que fulmina e deslumbra com seus trovões e relâmpagos os oradores de todos os tempos; mais fácil seria abrir os olhos à queda dum raio do que mantê-los fitos em suas contínuas explosões de paixão.

XXXV

1. No tocante a Platão, porém, existe, como eu dizia, ainda outra diferença. Lísias lhe é muito inferior não apenas na grandeza das boas qualidades, como também no seu número; ganha dele nos defeitos mais do que perde nos méritos.

2. Que sabiam afinal aqueles semideuses, que almejavam os maiores méritos literários, mas desdenhavam da exatidão nos pormenores? Além de muita outra coisa, que a natureza não considerou o homem um animal humilde e mesquinho, mas, como se nos convocasse para uma grande panegíria,[69] trouxe-nos para a vida e para o universo a fim de sermos espectadores de tudo que ela é e competi-

69. Festa, ou assembléia, que reunia grande massa popular.

dores em extremo denodados; desde logo implantou em nossa alma um invencível amor a tudo que é eternamente grandioso e, em confronto conosco, mais divino.

3. Por isso, como objeto de contemplação e de pensamento, ao arrojo humano não basta nem mesmo o mundo todo; as idéias não raro transpõem os limites do que nos cerca; quem circulasse os olhos pela vida e visse quanto mais espaço ocupa em tudo o extraordinário, o grande, o belo, logo saberá para que fim nascemos.

4. Daí, guiados por certa tendência natural, por Zeus! não admiraríamos os pequenos riachos, ainda que límpidos e úteis, mas o Nilo, o Danúbio ou o Reno, e muito mais o Oceano; tampouco este lumezinho acendido por nós, que preserva pura a sua luz, nos assombra mais do que as chamas celestes, embora estas se obscureçam muitas vezes; nem o consideramos mais digno de admiração do que as crateras do Etna, cujas erupções lançam das profundezas penhascos, cômoros inteiros, e por vezes derramam rios daquele fogo nascido das entranhas da terra e só seu. 5. Com base em tudo isso, podemos concluir que as coisas úteis ou apenas necessárias ao homem são encontradiças, mas o que suscita admiração é sempre o raro.

XXXVI

1. Com respeito, portanto, aos lances de genialidade literária, nos quais a grandeza não chega a passar das raias do necessário e do útil, convém a esta altura levantar esta conclusão: os escritores desse nível, embora muito longe de impecáveis, situam-se todos acima da condição dos mortais; o emprego de suas outras qualidades denuncia neles a condição humana, mas o sublime os ergue quase à magnitude divina. A ausência de faltas exime de censura; a grandeza granjeia, a mais, a admiração.

2. Que mais é preciso dizer? Cada um daqueles homens muitas vezes, com um único lance sublime e perfeito, redime todas as suas faltas e, o mais importante, colhidas as de Homero, Demóstenes, Platão e outros dos maiores escritores e reunidas todas, verificar-se-á que representam parte muito pequena, melhor, menos que mínima das perfeições notadas em tudo naqueles heróis. Essa a razão por que todas as idades, todas as gerações, que a inveja não poderia tachar de loucura, pressurosas lhes conferiram o galardão da vitória, que preser-

vam intocável até hoje e provavelmente assim permanecerá "enquanto correrem os rios e verdejarem as altas árvores". [70]

3. Entre muitas respostas a quem escreveu que o *Colosso Errado* não é superior ao *Lanceiro* de Policleto, [71] fácil é a de que, sob o ponto de vista de arte, admira-se a maior exatidão; sob o das obras da natureza, a grandiosidade, e que da natureza recebeu o homem o dom de falar; requer-se nas estátuas a semelhança com o homem; na eloqüência, a superação das faculdades humanas.

4. Não obstante — pois que esta recomendação nos leva de volta ao início do tratado — como, na maioria dos casos, a impecabilidade se deve à correção da arte, enquanto o sublime, embora não mantenha tom uniforme, é fruto da genialidade, convém, em tudo, pedir à arte que ajude a natureza, pois talvez consista a perfeição numa aliança estreita de ambas.

Essas as soluções que incumbe dar às questões propostas; mas regale-se cada qual com o que é de seu gosto.

XXXVII

Das metáforas se avizinham — pois que lá temos de voltar — as comparações e imagens, que só diferem em... (*lacuna no ms.*)

XXXVIII

1. ... também as deste tipo: "salvo se trazem o cérebro calcado nos calcanhares." Por isso, é necessário saber até onde estender os limites em cada caso; algumas vezes, levada longe demais, a hipérbole perece e, alongados além da conta, artifícios desse gênero se afrouxam, chegam até a converter-se no sentido oposto.

2. Isócrates, por exemplo, pela ambição de tudo amplificar no discurso, caiu, não sei como, numa infantilidade. Propõe-se o seu discurso *Panegírico* a demonstrar que a cidade de Atenas supera a Lacedemônia em bons serviços prestados aos gregos, mas, logo no

---

70. Platão, *Fedro,* 264 c.

71. O *Colosso* é provavelmente a estátua erguida na entrada do porto de Rodes em 280 a. C., uma das sete maravilhas do mundo antigo. O Lanceiro de Policleto (século V a. C.) era considerado uma estátua modelo, de proporções perfeitas.

exórdio, ele insere estas palavras: "Ademais, a eloqüência tem o grande condão de rebaixar o que é grande e revestir de grandeza o que é pequeno, conferir aspecto de novidade a casos passados e o de antigüidade a sucessos recentes." — "Portanto, Isócrates, dirá alguém, pretendes por essa forma interverter os merecimentos de lacedemônios e atenienses?" pois o elogio da oratória quase constituiu uma advertência prévia aos ouvintes para não se fiarem dele próprio.

3. Como dissemos das figuras acima, talvez as melhores hipérboles sejam as que não deixam perceber que são hipérboles. Isso acontece quando, sob o domínio de viva emoção, elas se ajustam à grandeza duma situação, como faz Tucídides falando dos que pereciam na Sicília: "Os siracusanos, diz ele, desceram e chacinaram sobretudo quem se achava no rio e logo se corrompeu a água; nem por isso deixaram de bebê-la cheia de sangue e lodo; a maioria ainda a disputava de armas na mão." [72] Sangue e lodo serem bebidos e ainda disputados em luta armada, fazem-no crível a força da emoção e as circunstâncias.

4. Ocorre o mesmo com Heródoto na descrição da batalha das Termópilas: [73] "Ali, diz ele, defenderam-se com espadas (aqueles dentre eles que ainda as tinham), com os punhos, com os dentes, até serem sepultados pelos bárbaros." Perguntarás aqui como se luta com os dentes contra homens armados e como é possível ser sepultado sob armas de arremesso. Não obstante, o estilo induz a crer, por não parecer ter sido introduzida a cena por amor da hipérbole, mas ter a hipérbole nascido logicamente da cena.

5. Com efeito, como não me canso de dizer, solução e remédio universal das ousadias de linguagem são os atos e emoções próximos do êxtase; por isso é que, embora as expressões cômicas resvalem para o inacreditável, a graça as torna críveis: "possuía um terreno não maior do que uma carta (lacônica)." [74] O riso, com efeito, é uma emoção de prazer. As hipérboles, assim como aumentam, também diminuem, pois o exagero serve aos dois propósitos e a chacota é de certo modo uma amplificação da pequenez.

---

72. VII, 84.

73. VII, 225.

74. Provável fragmento de comédia de Menandro. Os espartanos, habitantes da Lacônia, eram tidos como gente de pouco falar. Daí o sentido de *lacônico*.

XXXIX

1. Das partes que contribuem para o sublime, expostas no início, excelente amigo, resta-nos ainda a quinta, a colocação mesma das palavras em determinada ordem. A seu respeito expus suficientemente em dois tratados todas as conclusões a meu alcance; para os fins do presente estudo, cabe-me apenas acrescentar que a harmonia não é para os homens unicamente um recurso natural de persuasão e prazer, mas também um maravilhoso instrumento de grandiloqüência e emoção.

2. Não é verdade que a flauta inspira nos ouvintes certas emoções, deixa-os como fora de si, possuídos do frenesi dos coribantes e, dando ao ritmo determinada cadência, obriga o ouvinte, até um totalmente ignorante de música, a ritmar os passos e ajustá-los à melodia? E, por Zeus os sons da cítara, de per si sem nenhum sentido, pela modulação dos tons, pelo dedilhado concordante e pela fusão dos acordes, não deparam, como sabes, um maravilhoso encantamento? 3. (Se bem que aí temos imagens e imitações espúrias da persuasão e não, como eu dizia, operações genuínas da natureza humana.)

Então, ao nosso ver, o arranjo, que é certa harmonia da linguagem, privilégio natural do homem, atingindo a alma mesma e não apenas os ouvidos, move espécies variadas de palavras, pensamentos, ações, belezas, musicalidades — coisas essas que conosco nascem e crescem; do mesmo passo, pela combinação e múltiplas formas de seus próprios sons, transmite à alma dos circunstantes a emoção existente no orador, fazendo os ouvintes comparti-las e, pela gradação dos termos, edifica o sublime; não é certo que por esses mesmos meios, ao mesmo tempo nos fascina e infalivelmente nos dispõe para o majestoso, o valioso, o sublime e tudo que encerra em si, dominando totalmente a nossa inteligência?

Mas, conquanto pareça insensatez levantar dúvidas sobre pontos em que há tão geral concordância (a experiência, com efeito, é garantia suficiente) 4. parece, ao menos, sublime e deveras é maravilhosa uma idéia expressa por Demóstenes em seguida à leitura do seu decreto: "Esse decreto fez passar como uma nuvem o perigo que na ocasião rondava a cidade"; [75] o conceito se impôs aos ouvidos não menos pela harmonia do que pelo pensamento mesmo, pois foi vazado inteiro em ritmos datílicos, os mais nobres e produtivos de grandeza, razão por que compõem o verso heróico, o mais belo que conhecemos.

---

75. *Oração da Coroa,* 188.

Muda, como quiseres, de seu lugar τοῦτο τὸ ψήφισμα ὥσπερ νέφος ἐποίησε τὸν τότε κίνδυνον παρελθεῖν ou, por Zeus! suprime apenas uma sílaba, ἐποίησε παρελθεῖν ὡς νέφος e saberás quanto a harmonia combina com o sublime; o próprio grupo ὥσπερ νέφος se apoiou no ritmo longo inicial, escandido em quatro tempos; suprimida uma única sílaba, ὡς νέφος, imediatamente, com esse corte, estás mutilando a grandiosidade; 5. se, ao invés, alongares παρελθεῖν ἐποίησεν ὡσπερεὶ νέφος, não se muda o significado, mas a cadência já é outra, porque, com a extensão dos termos extremos, se desarticula e afrouxa a concisão do sublime.

XL

1. Um dos meios que mais concorrem para a grandiosidade do discurso, como dos corpos, é a conjugação dos membros; qualquer deles, separado de outro, nada tem de notável, mas todos em conjunto formam um organismo perfeito; igualmente, as expressões grandiosas, apartadas umas das outras e dispersas, levam consigo, desconjuntado, o sublime; formadas num só corpo pela associação e, mais, presas pelo vínculo da harmonia, tornam-se sonorosas graças ao torneio; dir-se-ia que, nos períodos, a grandiosidade é a soma das cotas-partes do grupo.

2. Na verdade, assaz demonstramos que muitos prosadores e poetas, sem serem dotados pela natureza para o sublime, quiçá até desprovidos de grandeza, ainda assim, empregando em geral um vocabulário corrente e popular, que nada trazia de singular, simplesmente pelo arranjo e harmonização desse material, lograram importância, distinção e ares de nobreza, como, entre muitos outros, Filisto,[76] Aristófanes em alguns passos, e Eurípides, na maioria.

3. Após a chacina dos filhos, Heracles diz: "Estou atulhado de infortúnios, sem lugar para mais."[77] Termos fortemente populares, mas, por se ajustarem à ficção, tornaram-se sublimes; se os dispuseres doutra maneira, verás claro que Eurípides é poeta mais na composição do que no pensamento. 4. A respeito de Dirce arrastada pelo touro: "Onde quer que se lhe asava, ele girava e arrastava de envolta mulher, fragas, carvalhos, mudando sempre de rumo."[78] A concepção é nobre, mas cresceu de vigor por não estar a harmonia

---

76. Historiador do século IV a. C.

77. Eurípides, *Hércules Furioso,* 1245.

78. Da *Antíope,* tragédia que não se preservou.

precipitada nem levada como numa rodagem, mas estearem-se as palavras umas nas outras, apoiando-se nas pausas, em seu avanço para uma grandiosidade firme.

XLI

1. Nada empobrece tanto os passos sublimes como um ritmo de discurso partido e agitado, como os pirríquios, os troqueus, os dicoreus,[79] que descambam numa dança declarada; logo todo o cadenciado se revela rebuscado, afetado, vazio de emoção, superficial, por causa da uniformidade.

2. Pior que tudo isso, assim como as pequenas árias distraem da letra os ouvintes, forçando-os a concentrar a atenção na música, assim a prosa cadenciada incute nos ouvintes, não a emoção do discurso, mas a do ritmo, de sorte que, às vezes, conhecendo de antemão os devidos remates das frases, eles marcam com os pés o compasso para os oradores e, antecipando-se, acompanham-nos cadenciadamente como num bailado.

3. Igualmente inadequado à grandiosidade é um estilo por demais cerrado e fragmentado em palavrinhas de poucas sílabas, como que ensamblado com fileiras de pregos nos malhetes.

XLII

Enfraquece igualmente o sublime o excessivo retalhamento das frases; reduzida a dimensões curtas demais, a grandeza mutila-se. Não se entenda aqui uma condensação desnecessária, mas sim tudo que é decididamente curto e retalhado; o retalhar mutila o pensamento, ao passo que a concisão o leva diretamente ao alvo. Evidentemente, ao invés, a prolixidez é sem vida, por não ter propósito o alongamento.

XLIII

1. Também o vocabulário trivial é terrível deformador do sublime. Em Heródoto, quanto à concepção, a tempestade está descrita divinamente, mas, por Zeus! encerra algumas palavras demasiado vul-

---

79. Pés métricos: pirríquio, duas sílabas breves; troqueu, uma longa seguida duma breve; dicoreu, união de dois troqueus.

gares para a matéria; talvez estas: "estando o mar a ferver", onde ζεσάσης rouba grande parte do sublime com sua malsoante sibilação;[80] mas ele diz: "O vento cansou-se" e "um fim desagradável" esperava os náufragos agarrados a destroços. Por ser termo vulgar, *cansar-se* não tem grandeza, e *desagradável*, inadequado a tamanha desgraça.

2. De igual modo Teopompo, após descrever genialmente a expedição do rei da Pérsia ao Egito, desmoralizou a passagem toda usando uns vocábulos chochos: "Que cidade ou que povo da Ásia deixou de mandar embaixadas ao rei? Que produto da terra, que obra de arte, bela ou preciosa, não lhe foi entregue de presente? Não havia numerosas tapeçarias de alto preço e mantos, de púrpura uns, bordados outros, brancos outros, numerosas tendas de ouro aparelhadas de todo o necessário, numerosas túnicas e leitos magníficos? E, mais, prata cinzelada, ouro lavrado, taças e canjirões, dos quais se podiam ver uns incrustados de pedraria, outros lavrados com perfeição e riqueza. Além disso, incontáveis milhares de armas, quer gregas, quer bárbaras, multidão inumerável de animais de carga, bem como vítimas engordadas para o abate; muitos medimnos[81] de especiaria, muitos odres, sacos, folhas de papiros e todas as outras utilidades; tão grande quantidade de carne salgada de animais de toda espécie, que dela se faziam montões tamanhos que as pessoas que vinham imaginavam, de longe, tratar-se de morros, ou cômoros contíguos."

3. Ele escapa duma linguagem mais elevada para outra mais baixa, quando devia, ao contrário, alçar-se; mas, misturando à descrição admirável de todo o aparelhamento os odres, as especiarias, os sacos, compôs um quadro de cozinha. Com efeito, assim como se, naquele mesmo fasto, entre canjirões de ouro e pedrarias, pratas cinzeladas, tendas de ouro maciço e taças, alguém viesse depositar de permeio odres e sacos, o resultado impressionaria mal, assim também vocábulos dessa natureza em sua linguagem, alinhados fora de propósito, faltam ao decoro e como que deixam manchas.

4. Bem podia ele abordar a matéria em termos genéricos, não só a respeito do amontoado do que ele chama *cômoros*, mas também das restantes provisões, mudando as palavras e aludindo a "camelos e multidão de alimárias carregadas de todos os gêneros para o luxo e prazeres da mesa", ou falando em "montões de toda espécie de grãos e dos artigos que importam à culinária e ao passadio deleitoso", ou,

80. Lê-se: *dzessásses*.

81. Medida de aproximadamente 52 litros.

ainda, se queria a todo custo uma menção assim explícita, "todas as guloseimas da copa e da cozinha".

5. No estilo sublime não devemos descambar para vocabulário sórdido e repugnante, a não ser constrangidos por necessidade absoluta, mas conviria usar expressões à altura do assunto e imitar a natureza, que, ao moldar o homem, não dispôs em nossa face as partes vergonhosas, nem as excreções de todo o corpo, mas ocultou-as quanto pôde e, segundo Xenofonte, desviou para o mais longe possível os canais delas para de maneira alguma macular a beleza do conjunto da figura.

6. Bem, mas não é premente enumerar especificamente os defeitos que desmerecem; uma vez indicados os fatores que enobrecem e sublimam os discursos, é claro que os contrários os tornarão as mais das vezes baixos e desairosos.

XLIV

1. Resta, contudo, caríssimo Terenciano, esclarecer uma questão que, em atenção ao teu amor à cultura, não hesitarei em acrescentar; essa precisamente me propôs recentemente um filósofo. "Maravilha-me, disse ele, a mim como a muitos outros, a razão por que, neste nosso tempo, se nos deparam talentos extremamente persuasivos e aptos à vida pública, argutos e versáteis, férteis principalmente em amenidades literárias, mas não mais os sublimes e geniais, a não ser esporádicos, tão grande escassez mundial de oradores afeta a nossa vida. 2. Por Zeus! prosseguiu, temos de acreditar, como se murmura por aí, que unicamente com a democracia, a grande nutriz de gênios, por assim dizer, pulularam os grandes literatos e com ela morreram? A liberdade, dizem, tem o dom de alimentar os pensamentos e esperanças dos gênios e ao mesmo tempo de expandir a tendência a mútuas rivalidades e à competição pela primazia. 3. Ademais, graças aos prêmios prometidos nas repúblicas, os superiores dotes intelectuais dos oradores exercitados se afiam e como que esmerilam e, como é natural, somam, na liberdade, os seus esplendores ao lustre dos negócios. Hoje em dia, porém, acrescentou, parece que desde a infância nos educam para uma escravidão; só falta enfaixarem-nos, desde os mais tenros pensamentos, nos mesmos costumes e cogitações; por não termos provado da mais bela e fecunda fonte da facúndia, refiro-me à liberdade, não passamos de bajuladores geniais. 4. Por isso, afirmava ele, as outras faculdades podem ocorrer a criados, orador,

porém, escravo nenhum é; a razão é que a falta de liberdade de palavra efervesce imediatamente e ele sente-se, como um preso, acostumado aos murros no rosto. 5. Metade do valor, segundo Homero, tira-lha o dia da escravidão. Se, pois, é de crer, ao que ouço dizer, que as caixas em que são criados os pigmeus, chamados anãos, não só impedem o crescimento dos encerrados nelas, mas também lesam o corpo com os laços que os prendem, assim toda servidão, mesmo a mais justa, poderia ser declarada caixa e cadeia pública da alma."

6. Eu, porém, respondi: "É fácil, caríssimo amigo, e próprio do homem sempre dizer mal do seu tempo. Vê lá, no entanto, talvez não seja a paz do mundo habitado o que corrompe as grandes naturezas, senão muito mais essa guerra sem fim que domina os nossos desejos e, por Zeus! além dela, as paixões que assediam a vida atual e a devastam de alto a baixo. O amor das riquezas, com efeito, mal insaciável de que todos hoje padecemos, e o amor dos gozos nos escravizam ou, melhor, pode-se dizer, arrastam de corpo e alma a um abismo; o amor do dinheiro é uma doença que empequenece; o dos prazeres, a mais ignóbil de todas. 7. Por mais que reflita, não consigo descobrir como, adorando, ou, para dizer a pura verdade, endeusando uma riqueza ilimitada, seria possível não contrairmos os seus males congênitos, que nos assaltam a alma. Com efeito, unida à riqueza desmedida e desregrada, dizem, uma suntuosidade a acompanha, marcha com ela a passos iguais e, pelas portas que ela vai abrindo, com ela invade as cidades e casas e com ela passa a morar. Conforme os sábios, ambas, com o tempo, nidificam na nossa vida e dispostas à procriação, geram a cobiça, o orgulho, a luxúria; não é uma prole sua espúria, mas sim absolutamente legítima. Se a gente deixa esses rebentos da riqueza atingir a idade adulta, logo dão à luz nas almas a uns tiranos inexoráveis, a insolência, o desregramento, a impudência. 8. É fatal que assim aconteça, que os homens não mais volvam os olhos para o alto, já não façam conta alguma da sua reputação, mas nessa evolução se complete aos poucos a ruína de sua vida, se esvaeçam e estiolem os valores espirituais, sem mais despertar emulações, quando se volte a admiração para as partes mortais e se negligencie o crescimento das imortais. 9. Numa causa justa e bela, já não será juiz livre e são alguém peitado para dar sentença, pois, é inevitável, ao venal só se afigura belo e justo o seu interesse pessoal; quando passam a árbitros da vida inteira de cada um de nós os subornos, a caça à morte de outros homens, as emboscadas aos testamentos; quando cada um de nós, escravo da cupidez, vende a alma para comprar todos os proveitos, acaso, nessa imensa e ruinosa podridão da vida, nos parece restar ainda, livre e incorruptível, um juiz do que é gran-

de e durável pela eternidade, a quem não possa suplantar o desejo de possuir mais? 10. Bem, a indivíduos tais como somos nós, obedecer a um senhor talvez seja melhor do que ser livres, porquanto nossos apetites, inteiramente às soltas, como feras libertadas duma jaula contra as pessoas próximas, alargariam com os seus males o mundo habitado. 11. Em síntese, dizia eu, o que arruína a índole da presente geração é a indiferença em que todos, com poucas exceções, passamos a vida sem nenhum esforço nem iniciativa que não tenha em mira louvores e prazeres, jamais uma utilidade digna de emulação e apreço."

12. O melhor é deixar isso à mercê do acaso e passar aos pontos imediatos; trata-se daquelas emoções a respeito das quais prometi, de começo, escrever uma memória especial, por constituírem uma parte do estilo em geral e do sublime em particular, como nos... *(perdeu-se o restante do ms.)*